BITADOS
LA PÉRDIDA

JOSÉ MARÍA MÁRQUEZ HERNÁNDEZ

Portable TINTAS HÍBRIDAS

Bitados, *la pérdida*

©Primera edición 2021 por Indie Media Editores, S.A. de C.V.
Guanajuato 224, Interior 205, Colonia Roma Norte,
Ciudad de México, C.P. 06700

Portable Publishing Group LLC,
30 N Gould St, Ste R, Sheridan, WY 82801,
Estados Unidos de América.

www.editorialportable.com

Grupo Editorial Portable® es una editorial con vocación global que respalda la obra de autores independientes. Creemos en la diversidad editorial y en los nuevos creadores en el mundo de habla hispana. Nuestras ediciones digitales e impresas, que abarcan los más diversos géneros, son posibles gracias a la alianza entre autores y editores, con el fin de crear libros que crucen fronteras y encuentren lectores.

ISBN: 978-1-953540-78-2

Impreso en México – *Printed in Mexico*

ÍNDICE

EL PRINCIPIO DEL FIN

Ciudad de Xalapa, verano de 2016.

Bullicio, la algarabía acumulada de la gente estresada en el centro de la ciudad, tráfico, reparaciones urbanas, la contaminación visual y auditiva parecen encubrir una realidad que… se nota si pones atención. Los rostros de las personas se miran inquietos, saben que algo va a suceder, pero se escudan en su mente pensando que tienen siempre algo más importante que hacer; la situación se confirma al ver que las aves no vuelan, parecen esconderse, los perros de calle ladran sin cesar como queriendo advertir, pero es más fuerte el ruido de la ciudad, que en un breve instante es opacado por un trueno, seguido por goterones de lluvia, como en la mayoría de los días de temporada de lluvias.

Ese día viernes todo parecía normal. Salía de mi trabajo, bajaba las mismas escaleras de siempre, abordaba mi auto con rumbo a casa pensando hacer un alto en la panadería de costumbre —me encantaban las conchas y los chamucos. En el trayecto la fuerte lluvia comenzó, los sonidos de los truenos traspasan los cristales de mi auto y un fuerte viento se nota en las gotas sobre el parabrisas. Veo la gente correr, pero todo me parece normal, las observo con caras pálidas, buscan algo sin hallarlo, tal vez sea el viento, resuelve mi mente.

Un minuto antes de llegar a casa me he dado cuenta que algo anda mal. La lluvia continúa, pero la gente está fuera de sus casas. ¡Corren como desesperados! Al llegar me apresuro a abrir la puerta y lo primero que sale de mi boca es:

—¡Amor, niños! ¿Están bien?

El silencio me lo dijo todo. Entré desalentado y cuarto por cuarto busqué… No había nadie. Me solté una breve carcajada a labios cerrados. “Deben de estar en casa de los papás de mi esposa, pensé.

Tomé el auto y aún nervioso me dirigí a la tiendita de mis suegros, no estaba muy lejos, en cinco minutos estaba allí. La lluvia no cesaba, parecía haber tomado fuerza y una granizada intensa estremecía mis oídos. Al llegar vi un par de sujetos desconocidos, por el parabrisas. Con una velocidad lenta me acerqué y me di cuenta que saqueaban, de inmediato reaccioné acelerando y accionando el claxon de mi coche, bajé la ventana vociferando en dirección a la tienda con el fin de asustarlos. Los sujetos se alejaron corriendo de la escena del crimen. Cuando confirmé que no hubiera más saqueadores, entré lentamente. Lo que vi en ese momento me cambió la forma de ver las cosas y recordé las creencias de mi familia y mi esposa. Estaban todas las pertenencias de mis hijos y esposa, así también las de mis suegros, incluso la del encargado de la tienda, pero de ellos no había pista alguna.

Cerré la puerta de la tienda, tomé el control del televisor y me dispuse a encontrar respuestas, pero ni yo ni el programa teníamos una explicación lógica. El noticiero señalaba miles de pérdidas humanas; los investigadores creían que era un evento aislado; los gobiernos extranjeros hablaban de terrorismo, y los más amarillistas afirmaban un ataque alienígeno a nivel global. El resto de la tarde no pude reaccionar, pensé en buscar a personas de mi familia, pero sabía que sería inútil. Llegó la noche, quedé exhausto por tanta información televisiva y me dormí.

Al día siguiente me levanté muy temprano, sabía que todo había sido real, pues estaba el mismo desorden que dejaron los ladrones. No había llegado nadie de los que esperaba, no escuchaba las risas de mis hijos al despertar, ni a mi esposa ofreciéndome una taza de café. Después de tomar un baño regresé a casa para cambiarme e irme a trabajar. Siendo honesto desconocía qué me impulsaba a seguir la rutina.

Dos meses después...

Hoy tengo junta de trabajo. De sesenta y cuatro compañeros de trabajo sólo veo seis, no todos desaparecieron. En realidad, muchas personas aún no superan lo que ocurrió hace sesenta días. Unos optaron por reunirse con sus familias o lo que queda de ellas;

otros no lo soportaron y tomaron la "vía corta", o están en algún sanatorio.

Entramos a la oficina, y lo que antes era un área de trabajo, ahora es un lugar de información, leyendas y mitos. Teníamos planeado iniciar con la programación de trabajo para el siguiente año, revisar metas y ajustar calendario, pero la duda y la incertidumbre es el pan de cada día en estos tiempos.

Mi familia me inculcó buenos modales, no podía evitar saludar con un buenos días a mis compañeros —la verdad es que no lo eran. Roy es uno de ellos y denotando su frustración y enojo en contra de mi decir, respondió de la siguiente manera:

—Maestro, ¿usted ya encontró a su esposa e hijos?

Yo me paralicé, pues en todo este tiempo no había pensado en tratar de hallarlos en otro lugar lejos de esta ciudad, a mí me tranquilizaba creer en lo que mi esposa siempre decía. A lo que respondí:

—No, Roy, pero tal vez estén en un lugar mejor.

A partir de ese momento no me volvió a hablar, debido a mi optimismo o resignación. Una semana después, en otra junta, fue la última vez que lo vi.

Lamentablemente, la situación del mundo era cada vez peor. Todos se culpaban entre sí, nadie creía a sus gobiernos; la anarquía no se hizo esperar renaciendo en muchas formas y la violencia fue su fruto.

La jefa adjunta de mi departamento inició la reunión con un extraño anuncio:

—Por lo sucedido, el gobierno inició un programa de identificación individual en tiempo real, con el fin de permitir la localización de personas extraviadas, en caso de repetirse un suceso como el de hace dos meses. Deberán pasar al área de recursos humanos para el implante subcutáneo del dispositivo.

—Yo odio las inyecciones —dije interrumpiendo.

Ella se limitó a mirarme como un bicho raro, pues su estrés era notorio. Mis compañeros estaban resignados y como todas las demás personas, parecían haber perdido la voluntad.

Unos momentos después todo el personal restante estaba formado para recibir el identificador, llamado por sus creadores BIT (Binary Identification Tab). Muchos se negaron porque lo consideraban invasión a la privacidad. Yo estaba en la fila y no quería perder tiempo, pero... no tenía algo que hacer después, nadie me esperaba, no tenía razones. Faltaron once personas, entre ellas yo, y la dotación del BIT no fue suficiente, así que debíamos esperar una semana más. Ese momento nunca llegó.

El día de hoy, al salir de mi trabajo, me pasó lo mismo que ayer y que me ocurre en estos dos meses: al llegar al estacionamiento recuerdo que no tengo a donde ir; tengo una casa, pero no un hogar; y tengo un viejo auto que he cuidado para que funcione hasta hoy y que me puede llevar a donde yo quiera. Pero, no tengo deseos de...

Tres semanas después empezó el principio del fin.

Mi ciudad era pequeña, pero llegó la violencia, había saqueos, enfrentamientos. En ese momento estábamos obligados a tomar una decisión: o te unías con el gobierno, o con la anarquía que se hacía llamar Revolución Del Nuevo Mundo. En cualquiera de los dos casos era lo mismo, pues el gobierno llevaba como acrónimo WOA, del inglés *World Order Army,* que en español es algo como Ejército del Orden Mundial. No eran razones en las que se fundamentaban, sólo era el hambre y sed de poder.

Al andar errático y solitario en el centro de la ciudad, entré a un restaurante que solía visitar con mi familia, cuando la batalla se desató entre la anarquía y el autoritarismo. El sonido es ensordecedor, las explosiones de las armas y granadas parecen entrar por el pecho, pues las batallas en este tiempo no duran mucho y todos están más deseosos de morir que de ganar algo.

Estando cerca de las puertas me asomo y veo a los vencedores, un grupo de aproximadamente veinte personas del "Nuevo Mundo", están revisando todos los comercios. Me escondí detrás de un estante de vinos, pensando que en el momento justo podría salir sin que me vieran; estaban cada vez más cerca, pues los gritos y disparos me lo hacían saber. Al llegar al local de inmediato me detectaron; a decir verdad parecía que sabían lo que hacían, sólo mataban a las personas que tenían BIT, por suerte yo no, ya que no llegaron los suministros extras durante las semanas anteriores. Me ofrecen alistarme, oferta que por supuesto no podía rechazar.

Nos llevaron hacia el oeste, a la ciudad de Puebla. La parte norte de lo que quedaba del país estaba gobernada por el Nuevo Mundo, los estados como Michoacán, Oaxaca y Veracruz estaban en disputa. Más al sureste, el WOA o Ejército del Orden Mundial manejaba las cosas; y si se preguntan qué pasó con Canadá y Estados Unidos, sólo sabemos que después de un mes de lo que ocurrió aquella tarde lluviosa, al menos la mitad de su territorio es peligroso por la radiación, así como algunas partes de Europa y Asia. No se sabe nada de Australia.

Estando en Puebla, a los cadetes nos mandaban a práctica de lucha y tiro; no podías preguntar, comentar o argumentar. Los días eran desayuno, confinamiento de tipo militar y cena, y muchos acostumbrábamos a dormir con el estómago vacío por el cansancio.

Ahí es donde conocí a Gamaliel, un piloto que también rechazó el BIT, pero no pudo al igual que yo rechazar la oferta generosa del Nuevo Mundo. Desde que lo conocí siempre me hablaba de Israel, y siempre creía que ahí estaría el fin del viaje, y yo no lo entendía en verdad.

Una vez terminado el entrenamiento había un ritual, que consistía en pasar por varias pruebas físicas y lógicas, pero había una a las que todos temían: visitar el cuarto de aceptación, y pronto sabría por qué. Cuando entré por sus puertas percibí un olor fétido e hizo que me brotaran las lágrimas, parecía oler a quemado y a sangre.

Lo que vi nunca lo voy a poder olvidar. Un sinfín de personas desmembradas por soldados de iniciación del Nuevo Mundo, y yo también tenía que hacerlo; pues varios de mis compañeros de grupo que entraron con antelación a mí, yacían tirados en el suelo con la misma suerte de los muertos. Pero no quiero hacerlo; tengo que salir de aquí, me repetía en mi mente. Por lo que le dije a Gamaliel:

—No estoy listo para esto, ¿y tú?

Gamaliel respondió:

—Nadie está listo para a hacer esto, pero… ¡yo no quiero hacerlo!

Una explosión sin aviso sacudió la tierra abriendo un hueco a unos metros de mí, el Orden Mundial atacó de manera furtiva, pero no podía levantarme para escapar, por las heridas que me generó, Gamaliel me sacó arrastrando, lo único que recuerdo es su voz diciéndome:

—Ten fe amigo, lo vamos a lograr. Estaremos en un lugar mejor y sabrás la ver…

Desperté un par de horas después, quizás días. Perdí la noción del tiempo, por mi debilidad y la manera en que gruñían mis intestinos, supe que fue mucho tiempo; Gamaliel dejó una nota pegada en mi nariz. "No te muevas, llevan días buscándonos, saben que estamos en la zona, regresaré.

Escucho ruido y volteo a la izquierda mi cabeza con los ojos entrecerrados, veo un par de botas de un soldado del WOA, ¡parecía ayuda divina el que no me encontraran!, pues vi pasar al menos veinticinco soldados alrededor, por la manera en que me ocultó Gamaliel, jamás estaría en sus manos; me quedé quieto, en ocasiones creo que me desmayé.

El atardecer no tardó mucho en llegar, así como la voz del que me escondió.

—Ya sal de ahí o vas a oler mal.

No comprendí sus palabras hasta que me arrastré para salir del escondite, sacudiendo la arena porque ese lugar era muy árido, estábamos al sur del campamento. Miré atrás, me di cuenta que estuve escondido en el lugar, donde estarían las vísceras de una vaca totalmente deshidratada y atacada por los animales e insectos del desierto, los restos de su piel que agitadas por el aire fueron el camuflaje. Con gratitud y asombro le dije:

—Pensé que nadie haría nada por mí en este mundo.

Gamaliel sólo dijo:

—De nada amigo, estás listo para escuchar una historia.

EL PASADO QUE HACE MI PRESENTE

Desperté en la tienda de mis suegros, en el desorden que dejaron al saquear, el televisor se quedó encendido toda la noche, sólo había malas noticias, pues ningún canal tenía señal. Bastaron veinticuatro horas para que las televisoras del país colapsaran, en la radio tres canales se escuchaban: el canal de la universidad, el oficialista, y una de mis estaciones preferidas. Me gusta la mayoría de la música que es compuesta, desde sus letras a su arreglo, y viceversa, pero tenía una especial fascinación por la música electrónica.

Las dos anteriores estaciones de radio sólo eran un mar de teorías, me dediqué a escuchar música durante los dos siguientes días, cuando la electricidad falló. La planta de energía nuclear que estaba a unos ochenta kilómetros de la ciudad había colapsado; lo sabíamos porque al atardecer veíamos un verde fosforescente en el cielo del horizonte donde se situaba; esa instalación era antiquísima, rindió más tiempo de su vida útil.

Me levanté para ir a trabajar en día sábado, era día de descanso —pero no lo recordé—, tomé un baño y al salir de la casa de mis suegros, me aseguré de que nadie pudiera entrar. Estando en mi auto, tomé dirección a casa pues necesitaba cambiarme de ropa. El sol parecía alumbrar de manera distinta, como si fuera un atardecer de invierno a pesar de no haber nubes. En la calle no había actividad, ni un rastro de vida, las aves y mascotas eran dueños del asfalto. Al llegar a mi hogar, todo era diferente, encontré limpio y la comida lista que me preparó mi esposa el día anterior, decidí comer ese manjar al salir del trabajo, por lo que me apresuré a cambiarme y salir para llegar a tiempo a mi oficina.

Cuando estaba por llegar a la entrada de la unidad administrativa, donde el policía abandonó su puesto, me di cuenta que era sábado.

Al mirar un recordatorio en mi celular, que mostraba —Reunión con los tíos en el lencero. Sábado cuatro pm—, detuve mi auto en el centro de la calle, miré por la ventana y todos los negocios estaban cerrados, pues los saqueadores entraban y salían con sus autos de los más vulnerables. Me desvié en dirección a casa de Mamá Maggy, el ocio me hizo pensar en muchas cosas que me deprimirían pronto. Sequé las lágrimas que me brotaron y mientras manejaba me planteé la idea de visitar una casa de cada familiar cercano por día; pasaron los suficientes días para realizar la misma tarea en tres ocasiones por cada una de ellas. La esperanza me hizo dejar la misma nota en cada uno de los lugares que visité, sin éxito de hallar familia. En ella anotaba: "Estoy en mi casa, los vine a buscar, espero que todos estén bien", con mi nombre escrito al final.

Mi ciudad, aún siendo una metrópoli, permitía conocer a muchas personas. Quizás, su fracasada distribución acumulaba en un pequeño espacio a la mayoría de la gente. Y mi numerosa familia sabría dónde encontrarme.

Al salir de una visita rutinaria en casa de los abuelos, los vecinos me preguntaban por ellos y yo sabía que mi respuesta los pondría tristes, pues al día de hoy no los he podido localizar. Ya que eran conocidos por ser honestos, amables, nobles y personas dispuestas a ayudar en todo tiempo.

Al visitar la casa de mis abuelos, recuerdo claramente las palabras de la vecina a la que todos llamábamos Rafita, una señora que se dedicaba a la venta de pulque y antojitos, además de atender una pequeña tienda de productos de belleza. A sus sesenta años era muy activa y madrugadora, pues todos escuchábamos la cortina abriéndose a las seis y media de la mañana. Desde que era un niño, a la fecha no faltó a su costumbre, parece que desde las cuatro estaba despierta, pues tenía su cabello listo a las seis, pero después de un día de trabajo su cabello volvía a la forma original, un afro que se destacaba a una cuadra de distancia.

La calle de mis abuelos siempre me gustó. ¡No tenía nada de especial! Su arquitectura era común y sin orientación de ningún tipo, pero su rudimentaria construcción daba sitios para los juegos de atrapar, escondidas, e incluso la famosa "cascarita" de la colonia. Fue una de las primeras calles en ser pavimentada por la zona, en una ciudad con crecimiento desmedido, lo cual dio tiempo a mi generación de salir adelante con una niñez feliz, pienso yo. Todos conocían a todos y teníamos lo suficiente para coexistir: la clásica tiendita, una panadería artesanal, y a la vuelta de la esquina el transporte urbano que lleva al centro; así como la escuelita que se volvió costumbre para la educación de nuestros padres e hijos.

Doña Rafita sacó una conclusión que llamó mi atención:

—Parece que sólo las personas malas nos quedamos en este lugar. En cambio, Doña Martha, Vivianita, don Marcos y Lucas que siempre nos ayudaron ya no están. Sólo los chismosos o peleoneros y mis borrachitos estamos aquí.

Un señor ya entrado en el pulque, pronunció "¡Salud!" de manera espontánea y graciosa, por los dichos de Rafita, pero nadie pudo reír. Creo que no he visto a nadie sonreír a partir de la "Pérdida"; así fue como bautizaron al fenómeno del viernes por la tarde, al menos en mi ciudad.

Al ver que los recursos se agotaban, ya que el transporte cesó, las tiendas fueron cerradas o saqueadas, de los grandes centros comerciales quedaron cenizas y no sabemos quiénes iniciaron el fuego. Me di a la tarea de acopiar alimentos desde el inicio, y dejaba recursos de emergencia en las casas de mis familiares; el resto lo llevaba al único lugar donde me sentía seguro: la recámara que compartía con mi esposa.

Siempre que entraba por la puerta de mi casa la misma frase se me repetía en mente: "Los extraño mucho…", mas no podía rendirme o permitirme caer en depresión, era necesario salir adelante, pues no lo había superado y tenía que seguir sobreviviendo, ya que lo más peligroso no es este mundo, sino el de la imaginación indomable de la mente.

Asistí sin falta alguna a mi trabajo y, a decir verdad, durante estos dos meses fui el único en hacerlo. Vi regresar poco a poco al personal de la unidad, y me tocó recibir a mis compañeros que al menos intentaban llegar; sin embargo, en la ciudad no había calma. El retorno al trabajo fue un escaparate a la situación, como en mi caso, pues la mayoría de los directivos de las instituciones literalmente fueron forzados por el gobierno, a través del ejército, a regresar a sus puestos. La manera de balancear el descontento y la situación fue distribuir alimentos y medicinas en camiones protegidos por el ejército, con esto pagaban el trabajo. De nada me sirvió el venir todos los días, me dieron sólo lo necesario para la semana, al igual que a todos, sólo había una porción más para aquellos con familiares. Muchos mintieron, yo preferí abstenerme de robar, con la comida que encontré en las casa de mis familiares y la fortuna de los productos que quedaron en la bodega de mis suegros, creí tener los suficiente hasta que la situación mejorara.

En mi área de trabajo no se reincorporaron muchos compañeros cercanos. Sandy, quien estaba asignada en recepción al cliente, trataba de controlar sus emociones, pero sus sentimientos eran agua salada corriendo por sus mejillas. No pasó desapercibida, ella siempre fue extrovertida y no muy complicada —creo yo—, me pareció fácil mirar en su rostro, culpa, miedo, soledad, tristeza. Siempre había sido muy alegre, juguetona y coqueta, era amiga de todos y trabajadora, dispuesta a orientarnos en todo problema que teníamos, una *nerd* en su totalidad, desde el núcleo.

Me acerqué a saludar como cualquier otro día, pero añadiendo una pregunta:

—Hola, Sandy, ¿quieres hablar?

Sabía de su necesidad y también yo necesitaba hablar con alguien, Sandy respondió:

—Ahora no, Maestro, tengo mucho trabajo.

Yo insistí como queriendo lograr comunicarme:

—Cuando gustes, podemos hablar.

Obtuve un silencio así que opté por retirarme de inmediato, tal vez estaba furiosa y… El corazón de una mujer es como un colorido cubo Rubik, con una matriz de cincuenta al cubo, nos es difícil descifrarlo, ya que todo lo que haces de frente tiene movimiento secundario, terciario y aun más allá de las potencias.Sin omitir mencionar el “daltonismo natural” en nosotros los hombres.

Al entrar a mi salón y antes de cerrar la puerta ella estaba ahí:

—Disculpe, Maestro, con todo esto no he tenido tiempo de nada, todo se me va en mis pensamientos y siento que…

Todo me lo dijo sollozando y la hice pasar para seguir hablando. Cerré la puerta del salón con seguro y cedí el paso en dirección a mi escritorio para que nos sentáramos. Es de mi particular preferencia mirar a la gente a sus ojos al hablar y de frente le dije:

—Yo te entiendo, Sandy, pero no puedes perderte en tus sentimientos, quisiera que esto fuera un sueño, pero no es así, yo he tratado de mantenerme ocupado desde la Pérdida.

Sandy, conteniendo el llanto y limpiándose las lágrimas respondió:

—Pero, ¿qué hice mal, Maestro? Siempre fui buena esposa, buena madre y buena hija, sé que a veces fui visceral y tuve desliz con compañeros del trabajo, pero no es nada que los demás no hubieran hecho, ¿o no?

Mi respuesta fue instantánea, sólo quería hablar con alguien:

—No soy quien para juzgar, cada persona es un mundo y los errores no son grandes ni pequeños, son sólo errores. Pero el precio a pagar es una vara muy injusta que la vida maneja a su antojo, nada de lo que diga te hará sentir mejor… Sin embargo, mucha gente se ha perdido en depresión, muchos acabaron mal, mejor piensa que aún tienes la oportunidad de hacer mejor las cosas.

En ese momento me di cuenta que lo que decía eran palabras huecas, sabía que esa oportunidad era producto de mi imaginación, ya que este mundo está en decadencia. ¡A Sandy... parecí convencerla! Se levantó como si un gran peso se le cayera de la espalda, pero ahora lo cargaba yo. Me agradeció el escucharla y se retiró. Al estar a la puerta del aula volteó para mostrarme un rostro de aceptación y tranquilo. Por mi parte, apliqué esa faceta de falsedad humana en la debilidad, una sonrisa hipócrita.

En cuanto cerré la puerta, la vergüenza hizo que me tirara de espaldas contra la pared, y lágrimas y gemidos salieron como presa rota de mí. Apreté mis brazos contra mi pecho, como queriendo curar mi quebranto, todo lo que aguanté por semanas explotó en ese momento... Era afortunado por estar en el trabajo, pues en caso de alguna necesidad o actividad estaba obligado a reparar la presa de sentimientos de inmediato y que no vieran mi debilidad, sobre todo por Sandy, no quería verla de nuevo mal, si esto hubiera sido en casa, tal vez estaría peor que ella y mi razón iría a parar a los brazos de la locura.

Después de charlar con Sandy, las cosas en la unidad administrativa cambiaron para bien. Ella era la primera persona que veíamos y, al recibirnos con ánimo, nos daba fuerza a todos; me sentí mejor por eso y no cargaba ya la culpa de lo que hablé con ella.

Cada día era una actividad diferente, teníamos que hacer el trabajo propio y el de los ausentes, cambiábamos de lugar y de compañeros constantemente.

Recuerdo la última ocasión que hice mi trabajo, con Nick, un maestro de artes marciales. Padecía de la tiroides, lo hacía ver obeso, pero aún conservaba su salud y agilidad. Ninguno de los alumnos lo respetaba hasta que iniciaba su primera clase, el sobrepeso no le impedía realizar saltos mortales o patadas en el aire. Su traje era extra grande, parecía un niño vestido con talla adulta, pues era muy pequeño. Tenía algo de exótico, se vestía como jefe de la mafia, a causa de la talla de ropa que usaba y su gusto por la música regional.

Mientras hacíamos las tareas, inicié la conversación que todos plantean en este tiempo:

—Maestro, ¿perdió también algún familiar?

Nick, de manera madura y rápida, como habiéndolo superado, me dijo:

—Sí, Maestro Osmar, mi madre y mi hermanastro. Conservo a un tío... Goyo, en muy malas condiciones, me espera en el salón, pues no lo puedo dejar solo mucho tiempo. Está enfermo hace años, lo cuidaba mi tía, pero ella falleció unas semanas antes de la Pérdida.

Guardé silencio, las preguntas que hice fueron incómodas, pero el maestro siempre fue directo.

Estábamos cerca del salón de deportes, cuando escuchamos en el altavoz:

—¡Todos afuera, esto es un simulacro!

No atendimos de inmediato, porque estábamos a la mitad del conteo de accesorios deportivos y unos minutos tarde no afectarían a nadie. Habiendo terminado, nos acercamos por el pasillo hacia la salida y, por la ventana, observamos a todos los compañeros en filas, y al frente de ellos algunos uniformados. Eran soldados con uniforme distinto a lo que conocíamos, traían en la parte trasera de la chaqueta las letras WOA.

En el país siempre se dudó de las fuerzas armadas cuando los utilizaban para labores policiacas, así que nuestra reacción fue similar, pues ni siquiera sabíamos de qué se trataba y después de todo sólo era un simulacro. Nos agachamos a manera de cubrirnos y cuando escuchamos el andar de los soldados que inspeccionaban la unidad, nos acercamos a la bodega para escondernos y esperar un par de minutos a que salieran. Entre las personas que bajaron estaba el tío de Nick, don Goyo; la verdad es que el maestro estaba furioso al ver cómo lo arrastraban, pero intuí que algo andaba mal, por lo que sugerí esperar y escuchar.

El oficial a cargo de la cuadrilla, dio la orden a todos los que tengan BIT de subir al camión. En algunos casos la marca del implante era notoria, pues fueron obligados a subir. Otros pasaron a través de un detector de metales o al menos eso parecía; los que carecían del implante no eran más de veinte y entre ellos estaba don Goyo.

El mismo soldado inició un discurso para aquellos que no tenían BIT:

—Ustedes no se pueden negar a usar el BIT, es indispensable para asegurar el orden del mundo, nosotros somos una iniciativa internacional para prevenir la anarquía y rebelión, pues mucha gente ha caído en sus lazos iniciando ataques de terror, como el ocurrido hace más de mes y medio. Así que… ¡todos suban al camión! Los que no puedan los asistiremos al final.

Ninguno desobedeció la orden. Entre los que subieron estaba Roy, Sandy y mi jefe, pues el rostro del soldado mostraba confianza y nobleza, con algo de comprensión; ¿cómo decir no a esos ingredientes, en este mundo? Los camiones se alejaron, sólo quedaron un par de camionetas del ejército con suficiente espacio para los soldados que estaban, no así para los tres adultos mayores que debían ser asistidos.

Desde el interior del camión el soldado con mayor rango sacó la mano para hacer tres señales seguidas, mostrar tres dedos hacia arriba, cerrar el puño e inmediatamente abrirlo y enviarlo a la derecha con los dedos juntos. Orden que el encargado de asistir a los restantes, miró y enseguida les dijo:

—Acompáñenme, señores.

Los tres hombres, entre los que estaba Don Goyo, se dirigieron a las camionetas para subir, pero antes de abordar escuchamos tres disparos… sólo los engañaron para que no estorbaran en el camino de los vehículos. Nick salió detrás de ellos, su entrenamiento no permitió contener la ira que lo impulsó. Traté de detenerlo, pero era muy fuerte a pesar de su tamaño, tres veces lo sujeté hasta que me arrastró a la entrada, pero ya no había nadie en quien descargar su cólera.

Me miró con enojo… seguido de un golpe que me hizo ver estrellas y hacerme caer, propinándome un par más de ellos en el suelo. Cuando descargó su ira mi labio estaba roto y un ojo lo tenía cerrado. Me reclamó diciendo:

—¿Por qué no me dejó ir?, Era mi tío, no el suyo, ¿por qué?

Calmado, le respondí para evitar más golpes:

—Los dos tendríamos la misma suerte de su tío ahora, ¿usted tiene BIT?

Recordando que Nick estaba en la misma fila conmigo cuando se terminaron los chips. Mientras él pensaba, continué preguntándole:

—¿Cuál era su plan y cómo desarmaría a una docena de soldados para vengarse? Si hacía lo mismo que los soldados, Usted no sería diferente a ellos.

Se arrojó contra mí de nuevo, y cuando me cubrí la cara miré entre mis brazos que ya se había detenido, parecía haber entrado en razón y me dijo:

—Lamento todo esto, pero no se vuelva a meter en mis asuntos.

Se fue de ahí sabiendo que no nos volveríamos a ver.

Después de unos treinta minutos me puse en pie. En ese tiempo se escucharon detonaciones, algunas más fuertes que otras. Lo que me intrigó era el hecho de que nos rodeaba un sinfín de áreas verdes y no era posible la fuerza espantosa del sonido, sin antes ser agotado por las hojas de las hayas, ficus, pinos y jinicuiles, en combinación con los abundantes maceteros.

Pasé a mi salón por el juego de llaves que acumulé, guardé copias de todas las casas de mis familiares por donde anduve, pues podrían resguardarme si fuera necesario moverme de lugar en caso de emergencia. Cerré el salón sabiendo que jamás regresaría. Me sentí melancólico, como la primera vez que renuncié a un trabajo, y ya extrañándolo todo. Por el pasillo recogí las cosas de mis compañeros que me serían útiles, en medio del "simulacro" no hicieron por proteger sus pertenencias y ya en camino hacia algún lugar con el ejército de WOA, no regresarían jamás. Bajé las escaleras y eché una última mirada a aquel lugar, e inconscientemente cerré la puerta de la entrada, como si fuera otro día más de trabajo.

Al llegar a mi auto estaba casi inútil, no tenía llantas, y vaciaron el tanque, tampoco sabía quién lo había hecho, ni me interesaba. Saqué una chamarra y un par de botellas de jugo que portaba; a pesar de cómo se veía me di el tiempo de cubrirlo con una lona, y dada la situación, no sabía si lo volvería a ocupar, al menos para resguardo.

Salí del estacionamiento y avancé por las calles con cuidado. Los soldados de WOA no terminarían en un día la evacuación de la ciudad, debían no estar muy lejos. Las primeras calles llenas de negocios estaban desoladas, a diferencia de las calles vecinales, pues apenas avancé una cuadra y me topé con la cruda realidad: no sólo asesinaban ancianos sino también a personas que no aceptaran BIT, a jóvenes, mujeres y hombres por igual.

Para cortar mi camino subí por una de las calles más precipitadas en dirección al centro de la ciudad, pues mi casa estaba al otro lado en esa dirección. Me permití mirar atrás y observé el paisaje del día: un paraje de destrucción, muerte y humo; no sé cómo pude evitar que mi mente se impactara a diferencia de los vellos de la nuca, brazos y piernas que al pasar al lado de las víctimas se me ponen de punta como los de un puercoespín. Creo que los recuerdos familiares del pasado cercano me mantenían a flote.

No estaba lejos de llegar al centro de la ciudad cuando recordé un viejo restaurante de comida italiana que visité en repetidas ocasiones con mi familia. Adoraba la pasta y el Clericot; no me resistí y entré, tenía esperanza de que los ingredientes necesarios para prepararlo estuvieran ahí todavía. Encontré un par de vinos de segunda, manzanas que no estaban tan mal y agua tónica mineralizada, sólo me faltaba azúcar, pues no cargaría con todo a casa. Al subir a la pequeña bodega del restaurant había al menos cuatro familias escondidas, las miré y notaron el mismo miedo y susto que yo; supieron que no haría ningún daño y me arrastraron junto a ellos. Se me encimó un hombre de mediana edad, con rostro demacrado y pálido, de buena posición económica por sus accesorios y ropa, y me dijo:

—¿Estás loco? Estamos rodeados, ¿y tú saqueas mi negocio?

Me llevé un susto por la información y pregunté:

—¿Rodeados? ¿Por quién?

Miré donde la puerta de la bodega y no era panorámica, permitía ver solamente la azotea y los techos de otras casas.

Este hombre de nuevo me sermoneó:

—¡Cállate! —en voz baja— Nos van a descubrir por tu culpa, no sé por qué te ayudamos.

Me disculpé y dije:

—Pero creí que no habría gente aquí, pues los están evacuando. La ciudad está asolada en lo poco que he visto.

Se levantó de encima de mí soltando mi camisa de manera violenta, fue la manera en que me mostró su rabia y sus ojos que parecían salir de sus cuencas al mirarme.

De inmediato le dije:

—Trataré de salir sin que nadie me vea para que no corran peligro, y si me ven correré con los vinos para que piensen que no hay nadie y que sólo estoy saqueando. La verdad no quería perder la oportunidad de tomar Clericot.

Él simplemente dijo:

—Anda, que tengas suerte.

Creo que le pareció buena mi idea, o no quería otra cabeza que cuidar, pues todos los que con él se escondían le miraban como figura de autoridad

Bajé al primer piso para cumplir con lo que dije, esperé a la entrada detrás de un estante artesanal de hierro forjado para vinos, lleno de botellas vacías, que adornaba el lugar. Antes de lo que pasó, jamás le puse la atención como lo hice ese día. Traté de ver qué había en el exterior y estaba a punto de salir cuando escuché una voz desconocida:

—¡Bajen sus armas, ahora!

El estallido de la primera bala no se hizo esperar y cientos de ellas en menos de cuatro segundos, acompañadas de explosiones fuertes. Los cuatro segundos fueron bien registrados, pues primero escuché la voz, después el primer disparo, me tiré al suelo y en el último instante me arrastré a la entrada; transcurrieron un par de minutos y el ruido cesó. No hubo cuartel ni tregua.

De los que se escondían tres personas bajaron, entre ellos el ricachón, quien me preguntó:

—¿Qué pasó? Pensé que ya no estabas aquí.

Yo estaba harto de él, pero respondí con calma:

—Justo al salir la balacera inició, y me refugié por un momento para intentar de nuevo mi salida.

Con la soberbia que representaba su papada, su sonrisa retorcida, y modo sarcástico de hablar, me dijo:

—Te creía en medio de la batalla… ¡Por lo menos sigues vivo!

Justo cuando terminó su disertación, escuchamos a lo lejos las órdenes del resto "vencedor" de los soldados:

—¡Revisen todo! Ya saben qué hacer con las personas.

Recuerdo lo que sintió mi piel y el cabello detrás de mi cabeza, la sensación de miedo intenso hizo que me temblaran las rodillas y las manos se empaparan tanto, que dejé las huellas sudorosas estampadas en las botellas del estante. Escuchamos a los soldados, eran tan rápidos que se acercaban como una manada de bisontes, su galope me amedrentó y sabía que no podía escapar.

El ricachón me dijo:

—Quédate aquí, no subas por que no abriremos las puertas.

A la verdad, mi intención de pedir ayuda era nula, mas percibí la agresión en sus palabras. Ignorándolo me propuse esperar a la entrada y en la medida de lo posible salir de ahí.

Al entrar el primer soldado, tiró todo golpeando con el pie y el estante cayó sobre mí. No hice ruido porque no me lastimó y fingí estar muerto, mas como final de un mal chiste, mis zapatos quedaron a la vista de todos. Me rodearon tres soldados y uno de ellos para asegurarse dio la instrucción:

—Dispárale.

Como no era mi momento de morir reaccioné de inmediato y dije:

—¡Estoy vivo, no lo hagan por favor!.

Me quitaron el estante y, para mi mala suerte, los vinos que protegía con tanto esmero se rompieron. Los soldados me cuestionaron lo básico, pero la pregunta más importante fue:

—¿Tienes BIT?

Yo solamente negué con la cabeza, por la resequedad de mi garganta. En ese momento escuché disparos donde se encontraban los demás, mientras que ya de pie, una clase de detector con las siglas “BIT-UN” confirmaba mi negación. Al pasar su prueba, cordialmente me obligaron a acompañarlos y servir en sus fuerzas.

SIN MIRAR ATRÁS

Voy con rumbo al Oeste, no sé a dónde nos llevan, después de que me descubrieron en ese restaurante y me subieron a fuerza. Esperamos diez minutos, para que entre todos apenas llenáramos la mitad de un camión escolar. ¡Los que sobraron fueron disparos en la cercanía!

Cuando comenzamos el viaje, me despedí de esta ciudad: aquí mi corta niñez fue fantástica, mágica, todas las palabras posibles que para un niño describan la total excelencia. Le temíamos a los borrachos y al señor de los cachivaches. Todas las noches estaban inundadas en neblina, el murciélago heroico envidiaría esta ciudad; y en el centro, la combinación de épocas victoriana y colonial, las calles pequeñas y góticas harían que no necesitara su auto de fantasía. Quizá tendría cuatro días de descanso a la semana al luchar con ladrones de poca monta y mala copas.

Todas las personas nos trataban bien y nos cuidaban, corrigiendo nuestra conducta, e incluso nos encaminaban a casa cuando nos alejábamos; las leyendas y mitos abundaban, ¡una historia por callejón!

El autobús tomó dirección a la única calle que mostraba el parque, inundado por araucarias, ficus y las doscientas palomas que aún seguían allí. Yo deseaba ser una de ellas y volar por encima de la catedral, el parque, con dirección hacia Los Lagos, pasando por la Biblioteca de la Universidad, sobrevolando el pulmón de la avenida Murillo Vidal y el Museo de Ciencia, también las avenidas de Lázaro Cárdenas, Américas y tomar un breve desvío para ver la casa de mis abuelos que tanto me amaron y me enseñaron, y descansar mi vuelo en el Cerro de Macuiltépetl, para contemplar toda la maravillosa tierra que me vio nacer.

Cuando me convertí en un adulto, la ciudad ya no era la misma: me parecía devastada, sobrepoblada, sobrevaluada y no había orden urbano, pues en todo este tiempo ninguna gestión municipal pudo resolver problema alguno. La gente se volvió tosca y agresiva, muchos culpaban a los capitalinos que llegaron de taxistas con malas costumbres; pero nadie se deja en mi tierra y como somos un poco vengativos, esto provocó que se nos hiciera normal.

Me quería ir, entre más pronto mejor. Tenía familia en otros estados del país y hermanos en el extranjero; mi dicho siempre fue: "Nadie va a sacar adelante al país, sólo nosotros, ni el mesías político deseado y esperado lo lograría, pues el cambio está en mi casa"; pero como siempre la corrupción es la asesina de las voluntades plurales e individuales. El pueblo no sembraría su esfuerzo para que la clase política se siguiera enriqueciendo. Sin embargo, el cariño por mi familia y amigos me mantuvieron por mucho tiempo arraigado.

El dicho popular reza: "Al muerto sus coronas." La ciudad, mientras veía por una de las ventanas del autobús, estaba inundada por la muerte, como pueblo fantasma solamente el humo y el fuego la acompañaban. Puse mi mano en el cristal para no permitirme ver los cadáveres sobre la calle y banqueta, así me quedaría con la imagen de las paredes baleadas, puertas forzadas y algún animal abandonado o privado de sus dueños. Tomamos la avenida Ávila Camacho y no era diferente la situación, lo que me hizo saber que el ataque fue terrible y masivo, pues comencé a identificar cuerpos de ambos ejércitos y algunos civiles. Observé la secundaria donde estudió mi hermano y estaba intacta, al igual que el Teatro del Estado y algunas esculturas, lo demás no correría con la misma suerte.

El conductor parecía estar ebrio pues aparentemente brincaba sobre las banquetas, pero al mirar por el pasillo hacia el conductor, el escombro y los cuerpos que estaban sobre la avenida se mezclaban con el polvo. No me permití voltear atrás del autobús, pero un joven lo hizo y estaba devastado casi en shock, no podía dejar de ver, le hablé en repetidas ocasiones mas no respondió, estaba totalmente ausente, e insistí hasta que un soldado me golpeó con la culata de su arma en el hombro:

—Cállate —no necesitó decirme más.

Volví a mi ventana, pasamos por el Museo de Antropología e Historia y recordé una anécdota de amistad o quizás romance que mi madre me contó. Unos años después de que mi padre muriera, un amigo que la pretendía en la secundaria, la invitó a salir. La llevó al Museo y en la explanada había un gran jardín; llevó con él una canasta, contenía una manta, vino y queso con un par de copas. Pero su sexto sentido se activó y ella pensó en que nosotros aún éramos muy pequeños, y no aceptó su propuesta de formalizar la relación. El señor ahora es religioso o algo así, lo que me hace pensar que ella fue su único amor.

Pasamos por la Escuela Normal, institución que era de las más honorables, como la Universidad Veracruzana, prejuzgada y devaluada después de unos atentados políticos en otras normales del país, que en mi opinión no debieron suceder.

Vino a mi mente cuando allí me torcí el tobillo en un partido de basquetbol, de lo cual salí ileso porque mis ligamentos literalmente eran ligas debido a mi corta edad. Al pasar por el Panteón Xalapeño, recordé que lo visité en un par de ocasiones acompañando amigos que sepultaban familiares.

El viaje fue relativamente corto, pues no había tráfico ni bullicio, creo que me faltó tiempo para ser melancólico. Cerré mis ojos para meditar, pero lo único que había en mi mente era el ruido del escape y la vibración del motor. Me dormí en el viaje, cuando alcé mis ojos ya estábamos como a quince kilómetros sobre la carretera, en otra curva que me permitió ver por última vez las faldas del Cerro donde yacía Xalapa, “La Ciudad de las Flores”.

LIMITES LINGÜÍSTICOS

Llegamos a la ciudad de Puebla, lugar lleno de historia. Una iglesia por cada cuadra, todas con su ídolo y algunas cubiertas por oro al interior. Cuando tenían que celebrar no era suficiente un día para todas, se dice, que al menos cada hora dos o tres iglesias activaban sus campanarios al momento de su celebración, e iniciaban a partir de la una de la mañana hasta que terminara el día.

Esta ciudad se vio envuelta en batallas y algunos personajes importantes de la historia de México fueron abatidos allí y estaba tan bien ordenada, que las calles fueron orientadas hacia los cuatro puntos cardinales.

Recuerdo una casa museo en el centro histórico, exhibiendo una escena trágica, y apenas tenía ocho años cuando la visité, por lo que no registré nombres ni fechas. Mi experiencia en el Planetario fue única, porque al girar la proyección, sentía que mi cuerpo salía desprendido del asiento, algunos alumnos de una escuela preparatoria se burlaron de la manera en que me aferraba al asiento, pero me acostumbré al movimiento y encontré mi centro de gravedad. Después de un rato ellos estaban en igual situación, mas decidí no devolver sus burlas, pues me pareció más importante ver las estrellas en esa gran bóveda artificial.

De aquella ciudad sólo quedaron las calles. No sobrevivió ninguna edificación. Los ventanales al tener arcos en los edificios altos parecían tener pestañas de tizne, los medianos apenas se sostenían, los más pequeños fueron aplastados por los restos y convertidos en montículos de escombros, fuego y basura, parecía que destruían por destruir. Algunos hoteles estaban intactos, pues ahí se resguardaban los soldados. El parque y los comercios aún eran funcionales, porque estaban ocupados por los rebeldes. Miles de ellos son alimentados en mesas improvisadas, atendidos por mujeres que fueron capturadas y por el semblante en sus rostros, obligadas a trabajar.

A unos kilómetros del parque bajamos del autobús y nos revisaron; estábamos sobre los escombros de lo que fue una casona con tejas. Después caminamos una hora o más hacia el Este, pues por lo difícil del lugar los vehículos no entraban, hasta llegar a una edificación parecida a una empresa o centro industrial antiguo. Los muros eran de piedra y pedacería de tabique, muy grandes y anchos; el techo se acondicionó con lonas y sábanas para cubrirlo. No entramos, pero se escuchaban sonidos extraños que no reconocíamos, ya que la acústica del lugar no era buena y nosotros pasamos a un lado. Llegamos por fin al resto de un barrio, con suficiente espacio para albergar a menos de cien personas, pero ya había sobrepoblación, por lo que en un cuarto para dos personas dormían veinte. ¡Los gases estomacales estaban prohibidos! y el castigo era dormir en la calle. Muchos ya no entrábamos para no sentir invadido nuestro espacio personal o porque "tenían mineralizadas las entrañas".

Afuera, ya siendo noche, pude mirar las estrellas. Al faltar la electricidad, los mecheros constantemente eran apagados por el viento, por lo que en el patio me recostaba a mirar constelaciones y estrellas fugaces y las siluetas de aves nocturnas. El panorama cada noche que pasa parece verse distinto, todo está en su lugar, pero parece que el cielo es una cortina transparente que ondea en la estratósfera, débil y frágil ante cualquier fuerza.

Mi observación científica fue interrumpida por Scot, un afroamericano que —como él me contó tiempo después— estaba como investigador de historia, para la Universidad de California, pues como era costumbre, portaba con orgullo una sudadera *sport* roja con las iniciales de esa institución. Era alto, parecía no ser muy listo, pero sí atlético. Tenía una mirada como alumno de preparatoria y el clásico caminar de gánster americano. Cuando se me acercó la primera vez esa noche pensé que buscaba problemas —el lugar y la situación me hacían pensar que estaba en una cárcel. Sé un poco de inglés por lo que me pude comunicar con él.

Scot: *Hey men, do you have a cigarette?* (Oye hombre, ¿tienes un cigarro?)

Osmar: *I don´t smoke.* (No fumo).

Scot se alegró por comunicarse, me dio pena el saber que quizás no habló con nadie en todo este tiempo, su respuesta me lo hizo saber:

—*Finally, I find someone to talk, these guys are driving me crazy, sometimes I don't understand a word they say.* (Finalmente encontré alguien para hablar, estos chicos me vuelven loco, algunas veces, no entiendo una palabra de lo que dicen).

Todo me lo dijo rápido. De lo que pude entender, era que no se pudo comunicar y estaba alegre de hablar. Yo estaba muy cansado, sólo le dije:

—*Ok, I know you have a lot of things to say, but... I know just a little bit of English.* (Ok, sé que tienes mucho que decir, pero... sé sólo un poco de inglés).

Scot no quería perder esta oportunidad y continuó:

—*Ok, ok, ok, I´m sorry, can´t you tell me what´s going on in this place?* (Ok, ok, ok, lo lamento... ¿me puedes decir que pasa en éste lugar?)

Osmar: *I don't now too much the news, think was terrorism, some people this is religious, other acuse the aliens, the truth is this world is going down.* (No sé mucho, las noticias piensan de terrorismo, otros que es religioso, otros acusan a los extraterrestres, la verdad es que este mundo se derrumba).

Scot: *Shit... yeah... What about you, family, wife, kids?* (Mierda... Sí, ¿qué hay de ti, familia, esposa, hijos?)

Osmar: *Yes, all you say, but...it is better this way, I know now... can´t protect my family in this world.* (Sí, todo lo que preguntas, pero… ahora sé que es mejor así, no podría proteger a mi familia en este mundo).

Scot: *Left my mother and brother behind, I was a professional runner for California, in the 100 and 200 meters. But a lession got me down, that work I did it for living, not because desired.* (Yo dejé a mi madre y hermano, era un corredor profesional para California, en los 100 y 200 metros. Pero una lesión me derribó, ese trabajo lo hice para vivir, no porque lo deseara).

Osmar: *But, you didn't have any chance in United States.* (Pero, no tuviste oportunidades en los Estados Unidos).

Scot: *Yes, but they think about me as a professional basketball player in this country; well, I dont know now.* (Sí, pero ellos piensan en mí, como jugador profesional de baloncesto en este país; bueno, no lo sé ahora).

Osmar: *Man, I need sleep, you ok about it?* (Hombre, necesito dormir, ¿de acuerdo?).

Scot: *Me too*. (Yo también).

Esa noche no me importó estar afuera, el sueño me rindió de tal modo que la única manera de despertarme fue el golpe de la bota de un soldado en mis costillas, separando así mi mente de una pesadilla.

EL SUEÑO

Me veía corriendo en un lugar rocoso, ¡tenía que dar un mensaje importante! Mi corazón latía tan fuerte que lo escuchaba salir de mi pecho; mi garganta seca por la velocidad del viento en mi contra. Llegué por fin, ahí estaba un ser alado que parecía llegar hasta el cielo en altura, pero estaba al interior de ese centro de comunicaciones. La tierra crujía y se hundía bajo la planta de sus pies, no se le dificultaba el andar y escuché esta frase: "Están aquí, es tiempo."

Me miró con asombro, no de la noticia, simplemente de que estuviera ahí. Me dio su espalda para enviar órdenes a todos los que con él manejaban el lugar.

Me di media vuelta y ya no estaba ahí, ahora me encontraba en una zona resguardada por grandes muros y yo en la cima de uno ellos, al lado de cinco siluetas de personas y un cañón de tres metros; detrás de mí una ciudad por defender. Allí era mi hogar... estaban... ¿mis hermanos, hermanas, mis madres y mis hijos, ahí estaban mis maestros, mis abuelos, mis amigos? ¡Ahí estaban todos!

Entonces, sentí el valor para defenderla y la fuerza de disparar mi arma; pero al jalar el gatillo ya estaba en un bosque rodeado por mujeres y niños, y en el centro una fogata con la caza del día para la cena. Unos soldados llegaron y lo arrebataron todo, parecían estar disfrazados con pieles de animales carnívoros y todos atacan como devorando a sus presas. Un escorpión es lanzado contra mí, trato de pisarlo, pero mientras más lo hago más grande se hace. Al superarme en tamaño lo ataco con más fuerza y es inútil, pues un golpe de su cola me lanza al vacío. Me siento caer y en ese momento golpeo fuerte una pared del precipicio, y despierto con una marca de bota sobre mi ropa.

ENTRENAMIENTO

Comencé a disparar, el blanco era sencillo y no muy lejano. Cambié mi arma, pues sólo hay cinco disparos para entrenamiento. Me dieron una Glock oficial de la Policía de Nueva York y una M4 que lucía impecable. Cada vez me convertí en experto de las armas que portaba.

Después del entrenamiento de armas comenzamos con el combate a puños. Sin instrucción parecían peleas callejeras, no se trataba de aprendizaje, pues era sobrevivencia. En repetidas ocasiones me sacaron a rastras y las lesiones se curaban con sol y tierra sobre ellas. Llevo tres semanas aquí, pero parece un infierno. En las noches recuerdo el grato sonido de las risas de mis hijos, las bromas que hacía a mi esposa y su risa traviesa. La voz de mi madre aconsejándome me llenan de energía, pues por tres días sólo he comido un par de panes con moho y leche agria, agua de un estanque sucio y las tres tortillas que gané en la última pelea.

Pero lo que me intriga es ver ese velo que está más allá de la atmósfera, tan débil y ligero desde que llegue aquí y lo observé, parece que será arrancado por una tormenta.

Entrenador Cuatla: Soldado, repórtese con el soldado Gamaliel en la tienda de municiones.

Osmar: ¿Quién es Gamaliel?

Entrenador Cuatla: No voy a hacer el trabajo por usted... ¡Búsquelo!

Pensé que me pondrían a cargo de las armas, pero estaba demasiado cansado y hambriento. Me duele todo y más los golpes en mis costillas ofrendados por mi contrincante de hoy, quien me llamo mariquita, pero al levantarme, di un golpe certero a la derecha de su quijada. Aún debe recordar mi nombre ya que mientras caía como tabla se lo grité con todas mis fuerzas: Osmar.

Me levanté y fui cuarto por cuarto de ese barrio del infierno, estaba harto, me quería ir a mi tierra de nuevo, ahí con algo de suerte tendría comida al menos por un par de meses. Después, bajo mi propio mando, tomaría decisiones personales trascendentales. Solía esperar a que todos durmieran para intentar escapar de ahí, pero el perímetro era muy largo, aun así todos mis semejantes estaban cansados. Los guardias de la parte central se la pasaban bien, comían y bebían hasta hartarse, cuando tomaban su turno de vigilancia al anochecer caían como leones después de devorar una presa.

Osmar: ¿Hay aquí un Gamaliel?

Reclutas: ¡Lárgate! ¡Déjame dormir!

En todas las habitaciones respondían lo mismo. Al centro del lugar también dormían otros soldados recién llegados, así que les grité:

—¡Gamaliel, te buscan!

De inmediato se puso de pie una silueta que conforme se iba acercando reveló su cara. No era latino o norteamericano, parecía más un turco, con mi estatura, pero en buena forma. Yo aseguraba que apenas había llegado al campamento, y pensé: "Me facilitan mi huida". Por lo que le dije con voz tenue

—Sígueme —de manera que nadie nos escuchara. Sólo asintió con la cabeza y pensé que no hablaba español.

Llegamos a la tienda de armas, estaban trece reclutas y un par de soldados con uno mayor en jerarquía. Lo sabía porque al caminar los demás lo rodeaban como líder de un cártel o político con despensas, el cual tomó lugar frente a nosotros y nos lanzó la siguiente predicación.

—Me presento, soy el Mayor Peña, líder de este campo de entrenamiento. El día de hoy ustedes finalizaron sus pruebas, completaron su entrenamiento y nos tranquiliza saber que hay personas que luchan por el bien común, por sacar adelante este lugar, y que guardan los valores y coraje necesarios para enfrentar a quienes nos dicen terroristas. Que buscan el progreso y revolución del mundo, que anteponen la misión sobre el dolor, los sentimientos y los amigos. Mañana pasarán por el cuarto de aceptación.

Todos vimos el lugar de la prueba, la primera edificación al llegar aquí, pero nada sobre qué debíamos hacer ahí dentro. La verdad es que me encantaría callarlo con un puñetazo, pues sus palabras eran como fuego en mis oídos e insultaba a mi inteligencia. Quería arrancarle la cabeza de un tajo.

Nos dieron la orden de ir a dormir, mas yo estaba nervioso por no saber qué ocurriría. Aun así no podía perder energías pues mañana sería un día importante. "Tal vez haya comida y una fiesta... y me estoy torturando", pensé.

Despertamos muy tarde, casi al mediodía. Nos dieron agua limpia, un desayuno abundante y ropas nuevas. Pero creer que todo sería mejor a partir de ese momento me convirtió en un iluso e ignorante de la realidad. En ese instante entró el entrenador Cuatla y dijo:

—Los van a ver hoy al atardecer en la entrada del cuarto de aceptación, se les avisará con diez minutos de antelación. Que tengan suerte y coraje en esta nueva etapa.

Me pregunté: ¿Suerte? ¿Coraje? Esos términos no me parecen congruentes. Regresé al nerviosismo de la noche anterior, pues ahora ni siquiera estaba seguro que dependería de mí pasar la prueba.

Se me acercó Gamaliel y me dijo:

—¿Qué vas a hacer?

Osmar: Honestamente, nada, hasta que sea el momento de la prueba.

Gamaliel: Acompáñame, tengo oportunidad de usar armas, pues el soldado a cargo me debe varios favores.

Osmar: Ok, vamos.

En ese momento se me acercó Scot y me dijo, intentando hablar español:

—Hombre, ¿Qué hace tú?

Osmar: *Scot, what are you doing here?*(Scot, ¿qué haces aquí?)

Scot: Anoche uno soldado me llamó aquí.

Gamaliel interrumpió y dijo:

—Si gustas, invita a tu amigo.

Osmar: *We go to practice of shut, want to come?*(Vamos a practicar disparo, ¿quieres venir?). Scot asintió con la cabeza de inmediato.

Osmar: *Let me introduce you. This man is Gamaliel.*

—*I'm Scot* —respondió. Parecía que era algo desconfiado con personas nuevas, después del entrenamiento lo éramos todos.

Gamaliel: *Nice to meet you, Scot.*

Scot y Gamaliel se hicieron de una conversación muy importante y al caminar con ellos me permitieron escuchar que un mes después de la Pérdida, el ejército norteamericano combatió con varias naciones y sus aliados fueron cayendo poco a poco. Al parecer China, la mayoría de Europa lo apoyaron, pero los rusos y Japón y algunos países arábigos, les hicieron frente. Antes de que recibieran un ataque en tierra, decidieron utilizar armas nucleares. Atacaron Moscú, Japón, Corea del Norte, y utilizó misiles tácticos en naciones que lo apoyaron, para "proteger" a la gente que aún defendía su país; pero el contraataque fue inmediato, California, Nueva York y Florida, fueron los primeros en recibir bombas nucleares, Iniciando la huida de los Unitas y los canadienses hacia el sur, bombardearon Texas para evitar el escape. Gamaliel es piloto y mecánico. Reparó y robó un jet, sacando algunas personas con dirección a Puerto Rico, pero una falla electrónica los obligó a aterrizar en San Luis Potosí. Ahí fueron interceptados por la Revolución del Nuevo Mundo.

El saber todo eso nos ayudó mucho, Me abrió los ojos, amplió mis horizontes y pensé incluso en salir del continente en algún momento, porque la lucha en este lugar era por los recursos, y una vez que se terminaran, destruirían todo, como he observado y comprobado al estar en este lugar.

Scot abrazó a Gamaliel. La esperanza surgió en sus ojos cuando le dijo que los Unitas fueron evacuadas en la parte central de Estados Unidos; tal vez su familia estaría en Puerto Rico. Actuaba de manera tan graciosa que parecía un adolescente, por la forma en que se movía al decirnos:

—*What you think about it?, Come with us to Puerto Rico... ¡The beach, hot girls and maybe a drink!* (¿Qué piensas acerca de esto? Ven con nosotros a Puerto Rico... ¡Playas, chicas y tal vez un trago!)

Gamaliel interrumpió y dijo:

—*Ok, but I have an other trip to do, so... Maybe I don't stay a long time with you, men.* (Ok, pero yo tengo otro viaje que hacer, entonces... no me quedo con ustedes por mucho tiempo).

Osmar: *Ok. I have food in my hometown, maybe a day walking at East of here. We can steal a car and drive to get there in two hours.* (Ok, tengo comida en mi ciudad natal, tal vez a un día caminando hacia el Este. Podemos robar un auto y manejar para llegar ahí en dos horas).

Gamaliel: *I just want... get out of this place.* (Sólo quiero... Salir de este lugar).

Scot: *We have a plan.* (Tenemos un plan).

La hora de la prueba llegó tan pronto que sólo realizamos algunas ráfagas en el campo de tiro. Queríamos pasar la prueba y salir de ahí lo antes posible, así que entregamos las armas y fuimos de inmediato al cuarto de aceptación.

Llegamos antes que todos y el Mayor Peña nos ordenó ir por armas al lugar de donde veníamos. Gamaliel, Scot y yo, cruzamos miradas de disgusto, pero antes de recibir un regaño nos fuimos de ahí, y al caminar por las armas, vimos pasar a todos nuestros "compañeros de graduación" hacia el cuarto de aceptación.

Regresamos con las armas que ya tenía listas el encargado de la tienda. Era raro que fueran muchas y con tantas municiones, aun así no le prestamos atención. Al llegar al cuarto de aceptación, el Mayor Peña dijo:

—Esperen, estamos llenos por el momento.

Se giró hacia la puerta del recinto y la golpeó tres veces con el antebrazo con demasiada fuerza. Al abrirla, los guardias detuvieron a uno de nuestros compañeros que intentaba salir, su cara estaba tan pálida como la de un hombre ahogado. Del recinto escuchamos salir gritos de apoyo y gemidos desgarradores, muy parecidos al alarido de miles de personas al apoyar a su equipo en un partido de fútbol.

Nos miramos y Scot nos dijo:

—*Let's do, what we have to do, to get out of this horrible place.* (Hagamos lo que tengamos que hacer, para salir de este horrible lugar).

Gamaliel y yo nos miramos y respondimos a Scot:

—*Yes, we will do it.* (Sí, lo haremos).

El Mayor Peña, mientras nos daba una risa perversa y demoníaca, abrió la puerta de par en par, y de inmediato, un olor fétido combinado con hierro oxidado golpeó nuestras narices, después nos ensordeció el intenso ruido de los espectadores. Terriblemente, no lograba disfrazar los lamentos de las personas que estaban siendo torturadas dentro del lugar. Caminamos y en la fila yo era el último; al bajar por una escalinata me enfrenté a la horrible, desalmada y putrefacta realidad. El lugar era un cuarto de ejecuciones, para diversión de los soldados del Nuevo Mundo. Sus víctimas, soldados del Orden Mundial; y los victimarios, Gamaliel, Scot y yo.

Vimos a algunos de nuestros compañeros seguir las órdenes, ¡todos teníamos que hacer lo que el público indicara! Pero la orden era pelear con armas medievales en contra de soldados capturados del Orden Mundial, aunque en realidad de ellos solo quedaba el esqueleto por tanto maltrato sufrido, ¡Apenas se mantenían en pie! Para después ejecutarlos al centro del lugar, donde una montaña de muertos estaba apilada. Miré y ahí estaban dos compañeros que habían sufrido el mismo destino que los enemigos, concluí que no habían aceptado asesinar o hacer lo que se les pedía.

Nos entregaron un garrote con puntas. Ya usado, y con algunas secuelas de batallas anteriores —pedazos de piel y la sangre que bañaba cada uno de sus clavos. Nos ordenaron bajar por una de las rampas, mientras el público nos aclamaba y aplaudía, hasta llegar a otra escalera donde tuvimos que pasar por una pared que permitía que todos nos vieran. Ahí aproveché para acercarme a Gamaliel y decirle:

—No estoy listo para hacer esto, ¿y tú?

Gamaliel: Nadie lo estaría, pero yo, ¡no quiero hacerlo!

Scot nos miró y dijo: *If you say no, you will be dead very soon! Just... do it and we will be out of this place, I dont want this, but, in this special case, We need to do it!* (Si dicen no, estarán muertos muy pronto, sólo... háganlo y estaremos fuera de este lugar, yo no quiero esto, pero, en este caso especial, ¡tenemos que hacerlo!)

Gamaliel y yo nos miramos a los ojos por un breve momento, para después mirar todo a nuestro rededor, ¡hasta lo que cubría el lugar! Preguntándonos qué haríamos o por dónde saldríamos. Cuando, de manera súbita, una explosión me lanzó lejos de donde estaba. El ataque inició en el centro de Puebla, donde estaban todos los paramilitares del Nuevo Mundo, y el campo de entrenamiento fue el postre, de otro modo no sería posible el ataque.

Cuando abrí los ojos, miré el hueco en la pared que dejó la explosión. Mis oídos zumbaban y no podía moverme, ni recordaba cómo fue que caí en la pila de cuerpos muertos que ya estaba antes de la explosión. Todos corrían, empujándose y disparando hacia el cielo. Traté de levantarme, pero me fue tan difícil que sólo pude estar algunos segundos sobre mis codos; estaba muy lastimado. Intenté de nuevo ponerme en pie para escapar, pues aún seguía el ataque, y mi única opción era acercarme a la salida. Apenas pude me arrastré por encima de los muertos, manchando mi ropa del rojo carmesí de la sangre, avanzando como lagarto hasta que ya no pude más... mi esfuerzo fue en vano.

Sentí la mano de alguien que me arrastró por el cuello de mi camisa hacia afuera. Haciéndome saber que no moriría ese día. Miré hacia quien me arrastraba y era mi amigo Gamaliel… Me estaba ayudando.

RENACER

Recuerdo algo de sus palabras, las más importantes creo yo, cuando me dijo:

—La verdad da Libertad...

No sé cuánto tiempo estuve dormido; por la comezón de las costras en mi cara y brazos, sabía que eran al menos dos días. El hedor de mi escondite es horrible y mi posición fetal muy dolorosa, no me he movido en mucho tiempo por la arena que, ocultándome, me comprime contra más arena, apenas sobresale mi brazo derecho y mi cara.

Un pedazo de hoja estaba pegada en mi nariz, Gamaliel la escribió y me hizo saber el peligro que nos rodeaba, e instrucciones precisas sobre mi seguridad. Yo me quedé como muerto en su tumba. Al cabo de un tiempo un par de botas se detuvieron sobre la tierra árida, dándome la espalda. Pensé que era Gamaliel, mas su voz era distinta.

Soldado WOA: Busquen debajo de las piedras, no los dejen escapar.

Los soldados se dispersaron, y por los huecos podía ver el campamento destruido a lo lejos, por el humo parecía estar a unos mil metros, ¡no sé cómo me llevó Gamaliel hasta ahí!

Entre las botas del "cazador" pude ver que llevaban a Scot, había sobrevivido, pero lo capturaron y no se resistió, volteó a ver a mi escondite y supe que me ayudó también. Mi situación era horrible al no poder ayudar a quienes les debía mi vida. Guardé mi coraje e ideé aniquilar al soldado que estaba a un lado mío, y de inmediato pasaron los soldados rodeándome. Toda la noche y parte de la mañana los escuchaba hacer rondas, parecía un milagro que no me encontraran; hasta el atardecer escuché una voz por mi lado ¡y salté del susto!

Gamaliel: Osmar… Osmar, ¿estás cómodo?... Sal de ahí, amigo, o apestarás y alejarás a todos los ejércitos del mundo.

Me sonreí y salí a rastras para acercarme a él. Mi asombro y gratitud le fueron fáciles de observar en mis ojos llorosos y el puchero en el rostro —no sabía si éste era por llorar o por el asco de saber que me habían ocultado dentro del ¡cadáver de una vaca aún recubierta por piel seca!

Sin perder la posición de pecho a tierra, para no evidenciar nuestros movimientos, observamos a lo lejos el despliegue militar del *World Order*. Un centenar de soldados del Nuevo Mundo estaban sentados en la arena, amarrados, algunos se veían cómodos, ya que al parecer eran espías y señalaban con detalle a personas, delatándolos.

Todo lo veíamos detrás de la pequeña loma que nos cubría. A nuestras espaldas teníamos algunas ruinas de casas y un terreno muy irregular con hoyos gigantes, para captación de agua, que al atardecer eran como abismos.

Gamaliel me dijo:

—Encontraron a Scot, apenas estaba a unos metros de mí, no pude ayudarlo y fue honorable al no dar nuestra posición.

Osmar: ¿Sabes dónde está?

Señalando, Gamaliel dijo:

—Allí, entre los camiones.

Era fácil identificarlo, pues la mayoría eran latinos y su cabeza rapada reflejaba la poca luz que había como farol. Iniciaron con el transporte de soldados capturados, los sanos eran transportados, los heridos ejecutados. Era claro que tenían una ideología bien implantada, me recordó lo que sucedió con el maestro Nick y su tío Goyo en Xalapa.

Cuando iniciaron el abordaje de los sanos, algunos se resistían, y en unas trifulcas todos trataron de huir, pero Scot se quedó sentado haciendo movimientos extraños. Se escucharon algunos disparos y vi a Scot subir por sí mismo a una de las camionetas, volteando su mirada a donde estaba nuestro escondite. Él se imaginaba nuestra posición y confió en que seguíamos ahí. Al ver lo que hacía, Gamaliel de inmediato me dijo:

—Algo trama… ¿Cómo te sientes? ¿Puedes pelear? ¿O escapamos con él?

Osmar: Tal vez pelear, aún no me siento bien de los músculos para correr.

Gamaliel: No apartes la vista de ese camión.

Terminaron de subir a todos, vimos claramente qué lugar ocupó Scot, al final de la fila con los guardias de la última camioneta. Encendieron los transportes, y avanzaron primero los camiones, con la mayoría de los equipos militares WOA, y cuando le siguieron los vehículos de prisioneros a la par de nuestra posición, el segundo de ellos colisionó al primero, impidiendo el avance del convoy. Al ver que superaban en número a los guardias, los prisioneros comenzaron la pelea, se escucharon disparos y casi de inmediato dispararon contra los conductores de camiones que iban detrás.

Scot saltó por un lado del camión mientras todo esto sucedía y se dio a la fuga hacia nosotros. No podía creer su capacidad de correr, parecía flotar y sus pies apenas tocaban el suelo para levantar pequeños granos de arena y el polvo. El escombro le dificultaba las rectas, pero cuando intentaron detenerlo a tiros le permitía de manera involuntaria evitar las balas al zigzaguear. Scot miraba hacia atrás para saber si lo seguían; las dunas lo detuvieron un poco, mas aventajaba por mucho a los cuatro soldados que le seguían. Los "movimientos extraños" le permitieron quitarse los amarres de las manos, cuando la primera trifulca, por eso razón subió y saltó sin dificultad del camión.

Gamaliel de inmediato me dio instrucciones:

—Ve atrás de las paredes, escóndete, y toma con qué golpear, y búscame algo para hacer lo mismo. En el momento adecuado me levantaré para que me vea Scot y te seguiré después.

Seguí las órdenes al pie de la letra, encontré una viga que se utilizaba en las tejas —de la medida de un codo—, y una rama muy larga pero funcional para el ataque.

Cuando acomodaba nuestras "armas", vi a Gamaliel levantarse y gritar: ¡Scoot!

Dos o tres señas fueron suficientes para que de inmediato corriera a la posición. Gamaliel se acercó a las ruinas donde me escondía, yo lo esperaba con mi brazo extendido para darle la viga, y antes de ocultarse me dijo:

—Se separaron los soldados, dejemos que Scot se esconda al fondo para atacar a los que vienen más atrás.

Al pasar Scot le indicó Gamaliel:

—Sigue al fondo y escóndete.

A Scot parecía no bastarle el aire de todo el Estado de Puebla para oxigenar sus pulmones, su desplante de velocidad llegó a su fin al correr tan grande distancia. Le llevó unos segundos al primer soldado pasar nuestro escondite y le ignoramos; esperábamos a los de atrás para iniciar el ataque, mientras el primero buscaba a Scot. Gamaliel me indicó con señas "yo ataco primero."

Tomé posición de ataque detrás de las viejas paredes. Gamaliel golpeó con fuerza desmedida al último de los perseguidores; cayó tan fuerte que tembló el piso y, cuando los otros apenas reaccionaban para contraatacar, salí para arrojarles la rama, noqueando a uno al golpearlo en la nuca, y al otro sólo le arañó la cabeza y la espalda. Soltó un disparo sin dirección con su arma, mientras tambaleaba cayéndose de rodillas enfrente de Gamaliel, quien lo inhabilitó fácilmente. El sonido del arma alertó al primero que regresó. Scot ya recuperado fue suficiente para desarmarlo y derribarlo con Gamaliel. No tardamos mucho en eliminar la amenaza. Yo les quitaba todo lo que tenían encima, armas y alimentos, hasta dejarlos semidesnudos, ya que nuestra ropa estaba asquerosa y el calzado desgastado.

Mientras Gamaliel vigilaba que no vinieran más soldados, Scot caminaba dando vueltas y hacía respiraciones de relajación para nivelar su ritmo cardiaco; y yo me cambié la ropa por la que traían los soldados WOA. Unos instantes después, ya seguros, recuperados y estrenando ropas, tomamos el botín de guerra para analizar dónde estaba el Este y dar el primer paso.

Las barras de proteínas que obtuvimos de la rapiña nos alegraron la noche, y en un instante ya teníamos paso constante bajo la guía de Gamaliel, quien sabía orientarse con las estrellas.

Gamaliel me preguntó:

—¿Me dijiste que al Este? ¿Cierto?

Osmar: Sí; dime dónde está el Este y lo seguiremos hasta encontrar la carretera.

Gamaliel: Es por acá.

Osmar: Tomaremos hacia el Noreste para ir directo.

Scot: *What are you talking about?* (¿De qué hablan?)

Gamaliel: *The way to Osmar's home... Northeast.* (El camino a casa de Osmar… Noreste.)

Scot: Primero esconder y después ir.

Osmar: *Yes, we need a break. I'm still weak.* (Sí, necesitamos un descanso. Sigo débil.)

Gamaliel: *Ok, let's find a place to hide.* (Okey, encontremos un lugar para escondernos.)

Caminamos unas cuatro horas bajo la bóveda celestial nocturna, hasta que en nuestro camino nos topamos con una casa de piedra en ruinas. Colapsado por la mitad, el techo de madera con restos de teja ofrecía una buena cobertura. Limpiamos el suelo para después, dentro, iniciar una pequeña fogata. Scot cayó como piedra, su desplante de velocidad lo agotó completamente.

A pesar de mi debilidad y cansancio, mi mente estaba despierta y en alerta, debido a los dos días que permanecí dormido en aquel cadáver que utilizaron como escondite, por lo que no lograba conciliar el sueño. Gamaliel parecía insufrible, aunque también intentaba sin éxito descansar cerrando los ojos. Unos minutos cesó su falso acto de descanso, del cual yo me reía disimulando. Me miró y cortando esos segundos incómodos me dijo:

—¿Estás listo para escuchar una historia?

EL CAMINO MÁS LARGO A CASA

Lo que dijo Gamaliel me abrió un mundo nuevo de posibilidades, cuestioné todos sus datos y me respondió clara y puntualmente, sin duda alguna. Me comparé y sus conocimientos eran mayores, comprendí que lo que hacía era totalmente desinteresado. Me sorprendió su valor, pues el último vuelo que tomó fue una oportunidad de escape que él creó con ayuda de los que protegía. Era piloto y trabajaba como mecánico en el aeropuerto donde robó la avioneta con la que trajo a ocho personas a México, y sólo haría una aterrizaje por combustible. Cuando una falla electrónica lo obligó a aterrizar lo interceptaron. Les dijo que era piloto y que los ayudaría si dejaban ir a los demás. Los soldados del Nuevo Mundo de inmediato aceptaron, porque tenían las naves, pero no quien las pilotara o les enseñara a hacerlo. El único requisito que le exigieron fue pasar por el cuarto de aceptación.

Mi mente estaba abrumada y, al igual que Scot, caí en un sueño tan pesado, que en el momento sin sombras, es decir, al mediodía, me despertó el calor abrasador, ya que el techo parecía coladera y el sol me irradiaba exactamente encima.

Todos ya despiertos, con un pedazo de barra nutritiva y agua de un estanque en nuestros estómagos, salimos con energías renovadas y gran entusiasmo. El camino totalmente sin obstáculos la mayoría del tiempo; el paisaje a pesar de árido con nubes a lo lejos regando la tierra; los montes lentamente pasaban a nuestros lados, eran gigantes que vigilaban nuestros laterales. No tardamos mucho en encontrarnos con algunas tristes o terribles escenas al avanzar por la carretera, algunos remolinos nos rodearon y avanzaban con nosotros, eran inmensos. De los tres yo era el más entusiasmado, al saber que llegaría a mi tierra. Scot y Gamaliel lo notaban, ya que los aventajaba todo el camino —a pesar de las heridas de la explosión—, tenía que esperarlos.

Al caminar tratábamos de hallar algo de comer, dejamos de hacerlo al anochecer ya que la oscuridad nos escondía y nuestro avance era rápido y mejor. Al amanecer, el sol era tan intenso al reflejar en la arena el cielo, nos ocultamos lejos de la carretera y dormimos tres o cuatro horas hasta que nos despertaron un par de camionetas. Desde nuestro escondite los espiábamos, identificamos las camionetas de WOA y por la poca cantidad de soldados sabíamos que los anarquistas del Nuevo Mundo estaban cayendo, al menos en Puebla, y que Veracruz estaba bajo el dominio de las Naciones Unidas.

Los tres coincidíamos en que ambos ejércitos eran lo mismo, la diferencia consta en el respaldo ideológico del Nuevo Mundo y el respaldo documental del *World Order Army*; al primero porque lo conocíamos, y el otro bando por qué no lo queríamos conocer. Nos sentíamos libres.

Llegamos a un bosque en la en la ladera norte del Cofre de Perote. Nos escabullimos entre los plantíos de piñas para encontrar alimento en las granjas y casas de la zona. Después de la búsqueda teníamos un manjar, siete latas de atún en agua, cinco botellas de agua y dos de sabor, además de cuatro vasos de alimento para bebé, y encontramos unos chayotes. Todo lo repartimos por igual y pensamos al día siguiente hacer lo mismo en el camino. El frío nos afectaba, a pesar de tener techo, pero no revelar nuestra posición era más importante. Soportamos, hasta que Gamaliel tuvo la idea de cavar dentro de nuestro refugio —una vieja caseta de vigilancia— y hacer la fogata dentro. Era peligroso, ya que las ventanas eran fijas y sin ventilación. Lo que no importó ya que el frío parecía entrar como muchos alfileres a los huesos. Pudimos conciliar el sueño.

Abrí los ojos y estábamos ahí de nuevo, al pie de las brasas de la fogata que aún irradiaban calor. Scot seguía durmiendo y Gamaliel ya no estaba allí. Me levanté, y con las brasas dibujé una lupa al lado de la palabra *food*, para que Scot supiera que no andábamos lejos y lo que debía hacer. Tomé dirección a las casas más alejadas, para no hacer doble trabajo al revisar donde pensé, "ya lo habría hecho Gamaliel". Después de buscar en las pocas casas que había en la zona, escuché un sonido y me acerqué con cuidado, tal vez eran mis amigos que me esperaban. Empujé una puerta de fierro al lado de una casa, que permitía el acceso a un patio lleno de nopales, y escondidos en las raíces un par de cachorros, que al ver la puerta abierta salieron disparados en busca de libertad. Detrás de ellos sólo dejaron la estela de polvo.

Me sentí observado, y escuchaba susurros que provenían de una bodega pequeña al lado de una de las bardas de aquel patio. Tomé mi arma y con sigilo me preparé para atacar quitando el seguro. Pateé la puerta destruyendo las viejas bisagras y tumbando una de las puertas que, al tocar el suelo, levantó una nube de polvo que me impidió ver lo que había dentro. En unos segundos, al asentarse el polvo, pude ver que era una familia completa. Me miraron y todos se abrazaron como sabiendo que morirían o que serían separados. Recordé que tenía el uniforme de WOA que les robamos a los soldados hacía unos días y les dije:

—Este uniforme se lo quité un muerto. No teman, estoy con dos amigos y buscamos comida en las casas. ¿Cómo están ustedes?

Señor Pedro: Gracias a Dios. Pensé que nos habían encontrado, estamos aquí desde que comenzó todo y apenas salimos ilesos.

En ese momento, Scot y Gamaliel me sorprendieron al entrar corriendo a la bodega. Scot, tomándome de la chaqueta, me llevó al suelo y dijo:

—*Those guys are here, be quiet.*(Esos tipos estan aquí, cållense.)

Gamaliel le avisó a la familia lo que sucedía, todos nos quedamos callados al escuchar que una persona hablaba:

Soldado: Don Pedro, sabemos que aún están aquí, es mejor que salgan, nos relevarán de nuestro puesto y no podré hacer nada por ustedes o por su hija... Estaré en la iglesia.

Miré al adulto mayor, seguramente él era Pedro. Miraba a su hija mientras afuera, el soldado repetía el mensaje al alejarse de nuestro escondite. Después de un momento y seguros de que no había nadie nos llevaron dentro de la casa y nos detalló las circunstancias de los hechos.

Don Pedro: Ese tipo es mi yerno... o lo era. Mi hija Sandra era su pareja hasta que se unió con esa bola de tiranos buenos para nada. Primero comenzaron con extorsiones, después con la agresión y el abuso. Mi hija y yo nos hartamos de todo eso y decidimos escondernos, no estábamos exentos aun siendo "familia", por eso hemos sobrevivido hasta ahora, por no confiar en esos perros.

Gamaliel: Esos eran soldados del Orden Mundial, pensé que eran buenas personas, pues ellos son soldados de las Naciones Unidas.

Don Pedro: Los dos lados son lo mismo, amigo. Aquí hemos visto las atrocidades cometidas por los de Nuevo Mundo, cómo se divertían asesinando gente; así como el actuar de los del Orden Mundial, se hicieron pasar por héroes, pero si no servías a su causa o no aceptabas la cosa que te ponen en la cabeza o el brazo, te matan. Dos de mis sobrinos aceptaron el BIT y se enlistaron; se supone que el dinero ya no existía y todo se guardaba en computadoras... Yo no sé nada de esas cosas, pero en la tienda con su sola presencia, podían comprar lo que fuera.

Osmar: ¿Qué pasó con ellos, les va bien?

Don Pedro: Un día estábamos en el parque, ya que ahí es donde está el campamento WOA, y frente al palacio instalaron una BIT´STORE, algo como una tienda, pero no pudieron comprar nada, así que reclamaron a su superior que no habían recibido la cuota, y no era la primera vez. El soldado los miró de una forma burlona y entró a su tienda de campaña donde tienen el control de las computadoras; después de unos segundos salió y les dijo: "Revisen ahora". Cuando salían de la tienda las alarmas se activaron. Sus BIT fueron desactivados, así que de inmediato los sacaron y los asesinaron en el medio de la plaza.

Osmar: Lamentamos escuchar eso, nosotros venimos de Puebla, los soldados del Nuevo Mundo nos entrenaban cuando fueron atacados, apenas y pudimos salir, pero era mejor estar solos y vamos para mi ciudad, Xalapa.

Don Pedro: Yo veo muy difícil eso, amigo. Nos han llegado soldados que escapan de la ciudad, pues la están repoblando, al parecer el control ya lo tiene el Orden Mundial.

Gamaliel: Lo lamento amigo, tendremos que cambiar la ruta.

No quería perder la oportunidad de ir a mi casa, perderla me pondría muy mal psicológicamente así que insistí en solucionarlo:

—Señor, ¿usted sabe si hay alguna forma de entrar?

Don Pedro: Mi nombre es Pedro Acher y no sé, amigo.

Sandra: Sí la hay, yo le dije a mi padre que podíamos huir, pero no le dije cómo.

Osmar: ¿Nos podrían ayudar a entrar, por favor?

Sandra: La única manera es con los BIT's. Al inicio, mi ex esposo me explicó cómo funcionaba el sistema, así que durante las batallas me dediqué a extirpar los BIT's de los soldados muertos.

En ese momento nos mostró una bolsa llena de chips y le pregunté:

—Y, ¿no los han encontrado con eso? Se supone que es un localizador.

Don Pedro: Eso decían, que era por seguridad, pero como te darás cuenta sólo querían el dinero de la gente y someterlos a su sistema, pues aun con dinero en la actualidad la gente se muere de hambre. Nadie sabe hacer una fogata, cazar o construir algo con sus propias manos. Sin electricidad, combustibles o herramientas las personas son dependientes totales, además que por la contaminación la mayoría de los alimentos son inútiles, ahora solo son un 1 o un 0, o tienes o no tienes, o eres o no eres, o vives o aún vivo ya estás muerto. Aprendí cuando vi a mis sobrinos... Morir a manos de esos desgraciados. Si aceptas esa cosa, vendes tu libertad por comer las miserias que te dan.

Scot, en muy poco tiempo comprendía en su totalidad el español, pero le costaba hablarlo, se veía inmiscuido en la plática, de tal manera que dijo:

—*What about your chips? Wanna come with us to Xalapa?* (¿Que hay de tus chips? ¿Quieren venir con nosotros a Xalapa?)

Les traduje lo que dijo Scot y Don Pedro dijo que lo pensarían. Pasaron unas cuatro horas mientras buscamos más comida, sin acercarnos a la plaza, para no caer en manos del Orden Mundial. Al mediodía regresamos y Gamaliel aprovechó nuestra ausencia para platicar con Don Pedro y su familia, quienes estaban emocionados por partir. Sabía lo que les había dicho, porque tenían la misma cara que yo cuando hablé por primera vez con él.

Gamaliel: Creo que ellos van con nosotros, solo que hay un problema.

Osmar: ¿Cuál?

Gamaliel: Todos los BIT´s son de hombres y tenemos a la esposa de Don Pedro y a Sandra.

Scot: *We can find some clothes and cut their hair, we have to try..* (Podemos encontrar ropa y cortar su cabello, tenemos que intentarlo).

Traduje de nuevo a Scot y estuvieron de acuerdo. Primero necesitábamos descansar el resto de la tarde hasta el anochecer, sabíamos que si había patrullas conseguiríamos ver las luces para escondernos y avanzaríamos lo suficiente para escapar. Además que conocía bien mi tierra, sabía dónde escondernos.

Apenas se metió el sol partimos hacia Xalapa. Nosotros estábamos listos, pero la familia estaba muy nerviosa. Don Pedro, Gamaliel y Scot iban detrás de Sandra y la esposa de don Pedro y yo, pues conocía mejor el camino y podíamos avisar con tiempo a los demás la situación.

Era la medianoche y llegamos a las afueras de Banderilla, pero planeé avanzar por el lado norte de la ciudad, pues sabía que toda esa área era rural y deshabitada. Se dificultaba más la marcha pero veíamos claramente la actividad en la carretera; hasta que nos adentramos en la hacienda Lucas Martín y, bajo la luz de la luna, nos acercamos a la calle Atenas veracruzana. Parecía no haber sido poblada, como lo mencionó Don Pedro, al menos esa parte de la ciudad, sin embargo, tres camionetas con soldados del Orden Mundial vigilaban la zona. Opté por flanquear por una calle que nos llevaría cerca de una estación de bomberos, pues en la acera del frente, había una casa donde podríamos refugiarnos, era casa de un familiar.

Al acercarnos, avanzamos despacio y el amanecer nos tomó por sorpresa. Por la calle principal pasaban constantemente la vigilancia en sus camionetas. Al llegar a la estación, a escasos metros de nuestro escondite, trataba de hacer memoria de dónde dejé la llave escondida para entrar, ya que para casos de emergencia cerca de cada casa escondía una llave no muy lejos.

Osmar: Esperen aquí y resguárdense, cuando abra la ventana en la casa verde, sabrán que es momento de entrar.

Cuando me arrastraba, me sentía como el anfitrión de la fiesta pero "sin comida, bebida o pastel". No recordaba dónde dejé la llave, avancé tan lento que Scot me alcanzó y me preguntó:

—*Are you ok? You look like a turtle.* (¿Estás Bien? Pareces tortuga).

Osmar: *Come on Scot, I try to be careful.* (Vamos, Scot. Intento ser cuidadoso).

Como chispazo de una foto, recordé que había dejado la llave bajo una piedra, al lado de la casa. Me apresuré a tomarla, abrí, ,entré con Scot, y le dije:

—*Open the window, going up stairs.*

Mantuve la puerta cerrada pero sin seguro para que cuando llegaran, les facilitara el acceso. Uno a uno fueron entrando hasta que los seis estábamos ahí. Me sentí muy contento de que todo saliera como lo planeé, y de inmediato saqué los alimentos que aún estaban guardados en una vieja lavadora: agua, galletas, latas de atún, jugo de manzana y otros que para sólo esa noche serían suficientes.

Scot: *Is this your house?*(¿Es esta tu casa?)

Osmar: No, es de un primo.

Scot: *Do you have more places like this?*(¿Tienes más lugares como éste?)

Osmar: Sí, algunos más al sur de aquí.

Scot: *We are lucky to meet you.* (Tenemos la suerte de conocerte).

Me sonreí y asentí con la cabeza a Scot. Descansamos de nuevo toda la mañana; despertamos después de la 4 pm para seguir el camino; tomamos algo de ropa, pero necesitábamos un baño, el agua escaseaba para ese entonces, así que les dije:

—A tres kilómetros tengo otra casa igual, y no muy lejos de ahí está la mía. ¿Les parece aventurarnos en la noche de nuevo?.

Gamaliel: Entre más pronto consigamos un auto y salgamos de esta ciudad mejor.

Recordé que ésta sólo era una visita. Me sentí mal, pero estaba con gente que me apreciaba y cuidaba de mí, tenía que corresponder, asentí y les dije:

—Nos vamos al anochecer.

Cuando comenzó la tarde escuchamos un par de explosiones, al norte de la ciudad, no muy lejos. Aprovechamos la distracción para salir de ahí y en pocas horas llegamos a la casa que mencioné en mi plan. Observé que tenía forzada la puerta, decidí no informar la situación a mis compañeros hasta que llegáramos a mi hogar, así que avanzamos rápido. Las explosiones continuaron hasta que, por el sonido inconfundible de los disparos, desencadenaron un enfrentamiento que nos permitió llegar a mi hogar sin problemas. Escondí tres llaves que me permitían el acceso. La primera estaba en la bota del servicio de agua, la cual abría la reja; después, ya dentro del garaje, otra estaba entre las piedras del cimiento de la casa que abría la entrada y su seguro.

Mi casa estaba intacta, fui el primero en entrar. El olor de mi hogar me hizo llorar, a todos los dejé en la sala y les dije que esperaran, quería pasar un momento en el cuarto de mis niños antes de dárselos a las chicas y a mis amigos.

Al abrir la puerta todos los recuerdos llegaron a mi mente como un tren bala pasando frente a mí: las voces y risas de mis hijos, también cuando lloraban, cuando estaban sorprendidos. Fue tanta la emoción de estar ahí, que quería quedarme ahí para siempre. Tomé las colchas con todo y sábanas, también las almohadas y algunos juguetes, los favoritos de mis hijos, todo lo tomé en mis brazos y lo llevé a mi habitación.

Al entrar, mi esposa parecía estar allí. De nuevo el olor de su fragancia fue como un golpe de sentimientos y emociones, la ola de recuerdos no se hizo esperar, no quería perder la esencia. Les ordené que tomaran los cuartos de los niños, pero que en mi recámara no entraran. Tomé un baño y me afeité como le hubiera gustado a mi esposa; de mí sólo brotaba mugre y costras de días. Terminé, me sequé bien y entré de nuevo a mi recámara.

Tomé lo que acumulé de mis hijos y esposa para ponerlo donde ella dormía, cerré mis ojos mientras lo abrazaba ya recostado y disfruté el último momento de hogar que tendría por el resto de mi existencia.

NÚMEROS SIN LETRAS

Desperté... ¡En mi cama!... Feliz, abrí los ojos y a pesar de las ausencias de mis hijos y esposa, en las paredes y los muebles había recuerdos que me hablaban y curaban los traumas de días pasados. Toda la mañana sonreí y algunas lágrimas salieron, pero no de tristeza; las esencias de mi familia me fortalecieron. Tenía esa sensación... de llenura en el estómago después de haber disfrutado mi comida favorita, como la risa al escuchar un buen chiste; sentía como la visita de un ser querido después de no verlo en años, o como la risa de mi esposa cuando le hacía cosquillas, y el asombro de mis hijos cuando realizaba un truco de magia.

Los recuerdos son pedazos de alma ajenos que se plantan en el corazón y se alimentan del poder con el que tu mente los abrace.

Me levanté y tomé unos jeans, un par de botas de uso rudo, me vestí con dos camisas y una chaqueta; estábamos a la mitad del otoño y el frío no se hacía esperar, ademas tenía que estar listo para el viaje. Al salir de la recámara todos me miraron como preocupados, pero de inmediato les dije:

—Hola, buenos días a todos, tengo mucha comida y bebidas, ¿les gustaría desayunar? —me miraron y asintieron con una sonrisa, sabiendo que estaría bien y que no abandoné el barco.

Siempre fui un buen anfitrión, era de mi particular placer que a mis invitados no les faltara nada y que pasaran un buen rato, no cambiaría esa costumbre ni en el fin de la tierra, fui directamente a la cocina y me siguieron Sandra y la esposa de Don Pedro, a la cual pregunté su nombre.

—Eugenia —respondió, y me dijo—. ¿Todavía tiene gas, señor?

Osmar: Debe de haber todavía, pero checamos de una vez.

Tenía algunos alimentos perecederos, los eliminé de inmediato y deje sólo las latas. Mi refrigerador aún servía, pues tenía paneles solares; algunos tomates, cebollas y chiles que almacené en el congelador aún podrían dar suficiente sabor a lo que hiciéramos. Una vez que terminé de mostrar dónde estaba todo, Sandra y Eugenia me sacaron de la cocina casi a la fuerza y me dijeron:

—Platique con los demás.

Todos aprovecharon el agua caliente, pero utilizaron de nuevo la misma ropa, así que saqué toda la que tenía en el closet para que ellos eligieran. A Scot le iba mal, pues todos los pantalones le iban arriba de los tobillos, demasiado zancones al punto de parecer capri, lo único que le quedó a su medida fue una bermuda, tres camisas, y una chaqueta.

Mientras los demás se bañaban de nuevo para usar la ropa limpia, en la cocina yo cuidaba el cocimiento de la crema y los bistecs sellados que se descongelaban en agua tibia, y recordé que tenía un árbol de limón en el patio trasero, fui a investigar con mucho cuidado de salir. Algunos limones sobrevivieron, así que tomé agua y agregué azúcar, y después los limones, todo un desayuno completo para mis invitados.

Uno a uno se fueron acercando a la mesa. Sandra tenía unos jeans de mi esposa que apenas le quedaron, unas blusas de manga larga, chamarra impermeable, y su mamá ajustó uno de mis pantalones de vestir a su medida, pues se veía una pinza inmensa cosida a cada lado de la cintura y el mismo arreglo en la parte trasera de las blusas, creadas a partir de mis camisas de vestir, por lo que les pregunté:

—¿No se van a vestir con ropa más gruesa? Vamos a salir, pueden enfermarse fácilmente con este frío.

Sandra: Sólo por hoy, pues platicamos con todos y vamos a descansar aquí este día.

Miré a Gamaliel y a los demás, parecía que era una sorpresa de su parte, ¡yo estaba gustoso!

Ese día sólo platicamos, no pensamos en nada más que en disfrutar, me ayudaron a sacar de los diferentes escondites la comida que almacené hace ya varios meses, puse los vídeos de mi boda y de algunas fiestas familiares hasta el atardecer, cuando los paneles solares ya no recibían luz suficiente. Platicando nos alcanzó la noche, todos nos despedimos y nos fuimos a dormir. Celebramos lo que todos damos por hecho y no valoramos. Estábamos vivos.

Antes del amanecer todos estábamos despiertos. Gamaliel ideó hacer una oración para comenzar el día, sólo Scot parecía estar extrañado, pero nos siguió en el acto. El sol rojizo de la mañana nos sorprendió, pensé que había sido menos tiempo. Terminando el tiempo de meditar, saqué un mapa de la ciudad y les mostré los lugares exactos donde estaban las casas. En caso de que pasara algo no planeado, pusimos un punto de encuentro y un tiempo de espera, así como nuestro destino próximo: El Aeropuerto El Lencero, que estaba a quince kilómetros de la ciudad.

Las mujeres se disfrazaron de nuevo, ya habían preparado ropa con la costura necesaria. Para aparentar un cuerpo distinto, se vendaron el pecho y la ropa holgada las ayudaba mucho.

Tomamos lo necesario y dejamos la casa tal y como cuando llegamos. Creo que el ser un buen anfitrión les sembró el sentir de ser recibidos en su hogar. Al salir logré asegurar todo y guardé las llaves de nuevo en los mismos escondites, miré atrás con alegría, agradecía a Dios por esos momentos.

Tomé el liderazgo para guiar a todos, mi misión mientras estemos en mi ciudad es que lleguen sanos, discretos y a salvo a los lugares del plan. El primer objetivo: la casa de un tío que contaba con una camioneta tipo Vagón, nada veloz pero cómoda, y cabríamos todos. Al estar en un garaje muy peculiar, en un camino sinuoso y poco transitado, me proporcionó alto porcentaje de expectativas.

Al llegar, seguí la rutina de aquellos días en que aûn iba a trabajar: buscar la llave y vigilar que nadie me mirara entrar; pero teníamos prisa y tal vez no volveríamos a este lugar, así que nos dedicamos sacar las bebidas y comida no caducada mientras Gamaliel revisó y ajustó la camioneta. El polvo sobre nuestro auto parecia una capa nueva de pintura por lo que nos tomamos tiempo de limpiar por fuera la camioneta que por fortuna no fue robada —apenas recordé que no tenia plan B, en caso de conseguir el auto.

Una vez que todos estábamos dentro tomé el lugar de chófer para manejar con precaución; anduve por todos los callejones y calles escondidas que conocía para no ser encontrados por las patrullas de WOA, así que avanzamos por las calles paralelas al distribuidor vial, hasta que comenzamos a escuchar muchedumbre y algarabía a la altura de la plaza de Cristal y los Palacios de Justicia y Juzgados. Reduje la velocidad y di vuelta hacia la calle principal donde, en un breve instante, estábamos rodeados por personas y otros autos que como manada nos llevaban en una sola dirección, sin poder ir hacia los lados por la gente que rodeaba cada coche.

Vimos demasiada gente mendigar en el lugar, entre ellos un compañero de carrera profesional graduado con honores. Él no me miró, pero su tez débil y un cuerpo esquelético, eran remanentes de un famoso consejero político, ¿que hace aquí una persona tan famosa? Debido a que manejaba tuve que dejar de pensar en él rápidamente. Todos parecían haber recibido BIT —por sus cicatrices en la frente—, nos miraron y comenzaron a pedirnos alimentos, pero no llevábamos nada más que regalar, pues les dimos agua, latas de verduras y otros alimentos, que aparentemente no nos harían falta; también nos decían:

—Después de cambiar su camioneta, me donan créditos por favor.

Todos decían lo mismo, pero: "¿Qué son los créditos?", me pregunté, pues no recordaba a qué se referían. Pude ver el puente que libraba el tráfico de la plaza, ahora convertido en una gigantesca puerta custodiada por unos cientos de soldados WOA. Al acercarnos, todos nos miramos y estábamos aterrados, no había vuelta atrás. Le dije a todos:

—Yo iré solo, haré como si buscara un intercambio, todos se quedan detrás de mí —y a Sandra le dije—. ¿Todavía tienes los BIT's?

Sandra: Sí.

Osmar: Dame uno, por favor. Y todos tomen uno, y ténganlo en su cabello o detrás de una de sus orejas, lo más cerca posible de sus cabezas.

Todos siguieron las órdenes pero me preocupaba mucho por Scot, su aspecto afroamericano y el no hablar bien español no ayudaban en este momento, no sabía qué hacer. Fui honesto con él y le pregunté:

—*Scot, any idea?* (Scot, ¿alguna idea?)

Scot: *Just tell him that you found me on the road and that I want to enlist.*(Sólo dile que me encontraste en el camino y que me quiero enlistar).

Osmar: *Ok, take out your chip.* (Ok sácate tu chip).

Cuando detuve la camioneta nos rodearon cuatro soldados, estábamos no muy lejos de una de las casas del plan, así que lo último que pude decir fue:

—En cuanto puedan, escabúllanse a la casa que les mencioné en el mapa, está a tres bloques hacia el Oeste. Abrí la puerta y de inmediato me apuntó el soldado y dijo:

—Le dije que se bajara.

Osmar: Los cristales no sirven, por eso abrí la puerta, somos soldados, acabamos de llegar.

Guardia: ¿Y los uniformes?

Osmar: Escapamos hace un par de días en Puebla, de un campamento que está por el centro. Hay al menos 1500 soldados enemigos y tienen algunos compañeros como prisioneros.

Guardia: Hace cuánto salieron exactamente.

Mentí al agregar un par de días antes de lo que sucedió en el bombardeo:

—Cinco días llevamos fuera, nos detuvimos algunas veces, pues escuchábamos movimientos de autos.

Soldado: Tienen suerte, esa base fue eliminada dos días después de su salida.

En ese momento hicieron una señal y abrieron las puertas para dejarnos entrar. Al evadir zigzagueando todas las ballenas de concreto llegamos al último puesto de vigilancia, donde algo parecido a un detector de metales gigante tenía suscrito en la parte superior "BIT-UN Detector". Antes de pasarlo me detuve y logré engañar a los soldados con la situación que inventamos para Scot, eran demasiado jóvenes, fue fácil convencerlos y nos dejaron pasar a un lado del detector.

Entramos a la calle Américas y tomé dirección hacia casa de mis abuelos, ahí también tenía comida y techo. Toda la Avenida Lázaro Cárdenas hasta donde mi vista llegaba era un muro fronterizo de contenedores —de los que transportan en tráilers— en ambos sentidos, y dentro de los puntos de control todo era fiesta, en la calle habían personas tomando y riendo, no había vigilancia ya que todos eran soldados; para mí solo eran una bola de locos haciendo lo que querían. Mientras avanzamos y ya que conocía mi ciudad, me di cuenta que las tropas y la gente habían ocupado toda la avenida Américas. La velocidad fue "a vuelta de rueda", seguramente por que el centro de la ciudad estaba totalmente destruido no pudieron ocupar más. Tanta gente celebrando me recordó la foto del beso de un marinero a la enfermera Greta Friedman en Nueva York, debido a que los soldados realmente acosaban a las mujeres sin uniforme WOA. Sin embargo, las féminas uniformadas no hacían nada por defenderlas, incluso parecían propiciar los abusos. El machismo como el "feminazismo" son brazos de la violencia para abusar de quien lo permita, sin importar el sexo, en estos tiempos ser mártir es el suicidio de los imbéciles, al no existir personas con solidaridad, liderazgo y sobre todo razonamiento.

Entré a la Calle Tres —la calle de mi infancia—, aparentemente nada había sucedido, pero al llegar a casa de mi abuelo, dos soldados intentaban de manera estúpida entrar a golpes, seguramente estaban ebrios.

Osmar: Hey, qué hacen.

Soldados: ¿Qué te importa?

Osmar: Ésta es mi casa, aléjense.

Los soldados me miraron con enojo, pero aceptaron la orden. De nuevo busqué la llave, abrí la puerta y entramos todos, dejando la ansiedad y adrenalina en la camioneta.

Cuando tuve oportunidad salí de la casa de mis abuelos y dejé a todos descansar, además de que necesitaba un poco de aire, soledad, para pensar en una manera de llegar al Aeropuerto. Me quedé en la acera del frente de la casa y observé que en cada bloque instalaron una maquina con el logotipo de BIT, era como un cajero automático, pero rodeado por un halo metálico. Por curiosidad me acerqué y de inmediato se activaron las luces y emitió un sonido pequeño. Pensé que sonaría una alarma pero no fue así, debido a que aún tenía el BIT en mi cabello. Al ser ajeno, en pantalla mostraba lo siguiente: "Hola, señor Juan Aspe, ¿desea hacer un movimiento de créditos?" Toqué la pantalla en el lugar donde decía consulta de créditos, y ahora mostraba 1352 créditos; presione el botón salir y fui a la tienda más cercana para saber cómo funcionaba.

Al llegar, cuatro soldados custodiaban la tienda, pero no había personas dentro; un halo igual al del cajero pero ahora en la puerta, discriminaba el acceso a todos los que se acercaban, así que me acerqué con toda confianza, las puertas se abrieron y tomé una soda y unas galletas. Toda la mercancía tenía "UN" como etiqueta; saliendo fui directamente a consultar de nuevo mi saldo en la misma máquina: 1320 créditos. Me fue sencillo a partir de este momento idear las maneras de salir, le dije a todos que portaran un chip y obtuvieran los saldos de todos los chips que tenía Sandra, y buscaran alguno con nombre americano para Scot, y femeninos para Sandra y Eugenia. Al terminar todos de revisarlos, la nueva identidad para Scot fue Wilmer Pérez James y para Sandra y Eugenia: Guadalupe Soriano y Laura García. Nos dimos a la tarea de cada uno salir y transferir los créditos de los chips que nos sobraban a los que portaríamos como identidad; la mejor noticia para las damas fue que no tendrían que vestir de hombre jamás.

Durante nuestras actividades, comenzamos a informarnos de qué pasaba: la guerra en México había terminado; el ataque con respaldo de las Naciones Unidas fue contundente, sólo había algunos ataques sin éxito; en algunos países de Suramérica y Asia aún hay guerra; y en el Mediterráneo, los países árabes estaban fuera del régimen del Orden Mundial. Todo era celebración y felicidad para los soldados, pero afuera de los muros había gente sufriendo, no entendía lo que pensaban.

En cuanto a nuestro plan de salida con los BITs, llegamos a tener más de treinta mil créditos en cada cuenta, además me permití negociar las propiedades de mi familia, pues yo tenía las llaves, en total en mi cuenta ya tenía doscientos cuarenta y tres mil créditos. Pensé que sería suficiente para el viaje, sólo conservé mi casa y la de mi madre, donde vivimos por comodidad y la cercanía con él aeropuerto. Así fue que comenzamos a salir al Lencero, a una casa de campo que estaba abandonada pero también propiedad de mi familia; cada salida de la ciudad nos costaba 20 créditos por persona, las cuentas bajaban rápido, así que tomamos la decisión de salir del país.

El plan fue ir hacia Puerto Rico en un avión que conseguiríamos en el aeropuerto, así que nos acercamos en repetidas ocasiones al aeropuerto para evaluar nuestras opciones y riesgos. Al llegar, toda la gente estaba ebria debido a que la mayoría eran niños de aproximadamente dieciséis años; algunos corrían por la pista y utilizaban las señalizaciones como obstáculos, aun cuando las pocas naves en uso les pasaban por encima al despegar o aterrizar. La entrada sería muy sencilla, pero teníamos que aparentar el estado de alcoholismo de los ahí presentes. Nuestra idea era esperar otro día y al anochecer acceder al aeropuerto, por lo que descansamos de nuevo en casa de mi madre donde, cabe mencionar, me sentía seguro y protegido, como si mi madre estuviera ahí para aconsejarme y calmar mis ánimos; dormí como un bebé en su recámara todos estos días.

Despertamos muy temprano y desayunamos, compramos algunos mapas y rutas aéreas para saber qué transporte nos podría llevar hasta Puerto Rico, Todos estábamos esperanzados y emocionados, ahora teníamos otra misión: buscar a la familia de Scot.

Me era muy extraño que todos estuviéramos de acuerdo en todas la decisiones, nadie ponía reparos, y en mi corazón había un sentir de que todos queríamos formar parte de esta aventura, como si buscáramos en conjunto algo más grande, que nuestra nación, cultura, beneficio o ego.

Al atardecer, abrimos tres botellas de vino tinto y algo de queso para degustar, si nos embriagábamos no lo haríamos con porquerías. Al finalizar la botella subimos al auto de lujo que rentamos por unas horas y nos dirigimos al aeropuerto. Bajo la influencia del vino, como en todas las ocasiones, mi lengua se trababa y mis ojos se adormilaban; los vigilantes de nuevo eran unos menores de edad, me vieron en el auto —de color rojo y diseño deportivo— y no objetaron nada. Entramos como dueños del lugar, al llegar a los hangares vimos un jet. Gamaliel nos dijo:

—Ése nos llevara a donde queramos.

Entré con el auto y de inmediato seis soldados nos apuntaron con sus armas y dijeron:

—¿Quiénes son ustedes? ¿Qué hacen aquí?

Dejé que el auto se impactara en la pared a una velocidad relativamente lenta y me eché a reír, todos los demás me siguieron la corriente; miré a los soldados, pero estos eran distintos, parecían ser reales, instruidos antes de la "Pérdida", además que eran adultos y tener una mirada de asesinos a sueldo. Así que me dirigí a ellos de una manera prepotente:

—Sólo queremos dar un paseo. El señor Pérez es piloto de reconocimiento, al igual que Wilmer.

Guardias: Éste es un avión de uso oficial, sólo los pilotos calificados pueden utilizarlo.

Gamaliel: ¿Y quién crees tú que somos nosotros?

Gamaliel miró directamente a los ojos al soldado.

Guardias: Pediré confirmación de vuelos.

Gamaliel: ¿A quién le vas a hablar a estas horas? Todos allá arriba están celebrando, al igual que nosotros; nadie te responderá, pero si te pones en mi camino, hijo, para mañana todos sus BITs estarán desactivados y me reiré mientras mendigan en la calle.

Al escuchar, los guardias comenzaron a murmurar, dudando de lo que debían hacer, mientras Gamaliel y Scot aparentaban tener una plática de tipo militar, que algunos de los soldados entendieron pues la hacían en inglés. El engaño funcionó pero no todos los soldados estaban de acuerdo con liberar el avión, así que subimos con algunas botellas de licor que no consumíamos, sólo eran para el momento y le dije al guardia encargado:

—¿Te gusta ese auto?

Guardia: Es muy lujoso, señor.

Osmar: Si gustas, quédatelo, yo tengo tres iguales en casa.

Guardia: Muchas gracias, señor, buen viaje.

Al cerrar la puerta del jet, escuché decir a los guardias, malditos borrachos ojala se maten, pero todos estábamos eufóricos de lograr nuestro cometido y salir del país a encontrar a la familia de Scot. Todo era una misión y una aventura, teníamos tanque lleno y me senté al lado de Gamaliel en la cabina y me ofrecí para ayudarle. Gamaliel fue directo conmigo:

—Sólo haz lo que te pida en el momento que te lo diga.

Tomó el radio y se comunicó a la base:

—Aquí vuelo 324k, solicitando despegue hacia el Sureste, con dirección.. —me miró preguntándome— Dime un lugar en dirección a Puerto Rico, pero en este país.

—Cancún, Quintana Roo —respondí.

Gamaliel: Cancún, Quintana Roo.

Control aéreo: Vuelo 324k, solicitud aprobada. Use pista uno, despegue con cuidado, tenemos exceso de borrachos en la pista.

Al terminar soltó un breve carcajada, teníamos que tener cuidado al despegar, un ebrio controlando el tráfico aéreo no es buena señal.

Gamaliel: Oído, Control de vuelo. No sólo en la pista hay borrachos. Motores a toda potencia. Tomando curso. Nos vemos pronto. Cambio.

Apenas despegamos el horizonte no era muy claro, pero cuando tomamos altura suficiente las estrellas nos acompañaban, al igual que una luna llena hermosa, las nubes eran el tapete que escondía la desorganizada y tirana realidad.

REENCUENTROS

Sandy: Ésta no es su familia, Maestro, ¿tiene que intentar mentirme?

Osmar: No, Sandy, pero mientras estaba herido ellos cuidaron de mí y me mantuvieron con vida, por eso los considero mi familia, pues les debo mi vida.

Sandy: Este mundo lo hizo más débil a usted que a mí, Maestro. Antes de hablar con usted en Xalapa, pensé quitarme la vida, pero gracias a usted ahora sé quién soy. Llévenlos a la celda, maten a los viejos…

Llevamos al menos tres horas volando, y por mi nerviosismo le pregunté en repetidas ocasiones a Gamaliel:

—¿Sabes dónde estamos, amigo?

Lo que afectaba a mis nervios fue que me respondió:

—Según estas cartas de navegación deberíamos estar en el aeropuerto de Cancún, pero las nubes no me permiten ver nada.

Osmar: Por qué no desciendes la altura lo suficiente para ver dónde estamos.

Gamaliel: Es peligroso. Control de Vuelo, soy el piloto de avión 324k, solicito instrucciones de aterrizaje. Control de vuelo. Aquí vuelo 324k, tenemos problemas con el localizador y nos quedamos sin combustible. ¿Alguien nos escucha?

Control de vuelo: Aquí control de vuelo, 324k no tenemos su vuelo registrado. Baje a cinco mil pies y vaya a la pista 3, 23 grados Norte, proceda con cuidado.

Gamaliel: Entendido, control.

Al escuchar la respuesta de los controladores del tráfico aéreo me emocioné, y ya tranquilo le dije a Gamaliel:

—Pensé que caeríamos en el mar o aun peor en la tierra.

Gamaliel me miró y dijo:

—Confía, amigo.

Era lógico pensar que la gota que barría su sien no era de tranquilidad.

Los controladores lo orientaron y de nuevo colocamos los BITs escondidos en nuestro cabello además de tomar licor de nuevo —por las apariencias. Don Pedro y su esposa tomaron unos uniformes que encontraron en el avión y lucían como revolucionarios, pero con estilo. Aterrizamos, pero no estábamos en nuestro país, todo sería diferente a partir de este momento, pero como dice el dicho: "donde fueres haz lo que vieres".

Después de todo este tiempo juntos, el convertirnos en actrices y actores era indispensable en este viaje, así que todos sabíamos qué hacer, aprovechar cualquier oportunidad, ser espontáneos y actuar normal para salir librados.

Cuando llevamos el avión al hangar, bajamos la escalera y nos recibieron un par de guardias del aeropuerto. Eran oriundos de la península por su manera de hablar y físico; esperaron a que terminaran de bajar todos y sólo nos instruyeron.

Guardias: Capitán y copiloto, favor de presentarse al salón de pilotos, los demás se pueden retirar.

No dijimos absolutamente nada, solo hicimos lo que debíamos en ese momento: seguir el juego. Al menos cuatro de nosotros estaban libres y no dejaría solo a Gamaliel; al avanzar por los pasillos de servicio, hasta llegar a una escalera, giramos a la derecha y los guardias nos llamaron la atención.

Guardias: Es por acá.

Osmar: El letrero dice que es a la derecha.

Guardias: Esa área esta en remodelación, los guiaré.

Osmar: Gracias.

Los seguimos y le comenté a Gamaliel:

—Espero que no estén molestos por la travesura que hicimos en Xalapa.

Gamaliel: Claro que no, he venido en repetidas ocasiones a Cancún y el encargado de seguridad del aeropuerto es un viejo conocido, no pasará de unas noches en retención.

Me dirigí a los guardias y les pregunté:

—¿Quién es la persona a cargo de este lugar?

Guardias: El capitán de la zona es el Ingeniero Luis Puch, pero el aeropuerto lo dirige la Piloto Luna, a ella es a quien veremos.

Terminé la cuestión, para en mi mente hacerme las preguntas necesarias e imaginarme todos los escenarios posibles. Al llegar todo estaba revuelto, mucha gente en ese lugar, parecían tener días sin dormir, el ambiente era totalmente apresurado, estresante y burócrata. Nos llevaron a una oficina en el centro del salón de pilotos donde todos nos ven y esperamos a que la Piloto Luna llegara a cuestionarnos, sabíamos que hurtar un avión era un delito muy grave, pero no planeábamos estar ahí por siempre, sólo era un paso a nuestro destino.

La piloto llegó, de inmediato notamos su entrenamiento en un cuerpo atlético y su carácter militar, el cabello negro bien peinado y amarrado a la perfección. Un rostro no muy maquillado, con una mirada profunda en sus ojos negros, y facción del mediterráneo, resaltaban su belleza; los brazos detrás al caminar, siempre con la frente en alto y blusa bien planchada y fajada, un pantalón con una gran hebilla y por encima de la cintura. Guardamos silencio.

Cap. Luna Uitz: ¿Vienen de Veracruz?

De inmediato respondí:

—Sí, Señora.

La piloto Luna no me miró, sólo dijo:

—Me dirijo al piloto, señor Juan.

Gamaliel: Afirmativo, Señora.

Cap. Luna: ¿Por qué hurtaron un avión oficial?... Capitán.

Gamaliel: La situación está fuera de control en Veracruz, el orden y el progreso fueron superados por el alcohol y la fiesta.

Cap. Luna Uitz: Mmm, ya sabíamos eso, pero pensé que todos eran felices en ese lugar, muchos de mis soldados solicitan cambio de zona, la mayoría a la ciudad de México y Veracruz.

Gamaliel: No todos, señora, por eso decidimos salir de ahí.

Cap. Luna Uitz: Yo crecí en este lugar, aprendí 6 idiomas cuando era niña, conocí a gentes de todas partes, Asia, Europa, americanos y australianos, vi mucha gente ir y venir aquí y aprendí las diferencias, entre un español y un culé, entre un australiano y un inglés, entre los turbantes árabes, y es un insulto que un judío trate de hacerse pasar por un poblano llamado Edgar Pérez, de treinta años, que no tiene la preparatoria terminada, y puede volar jets.

Gamaliel se puso pálido y yo me quedé en shock. La Piloto Luna nos descubrió tan rápido, que lo hacia ver fácil. Callados esperamos hasta que cuestionó a Gamaliel:

—Su nombre, Capitán, y cuál es su destino?

Gamaliel: Soy Gamaliel, e iremos a Puerto Rico, y después viajaré a mi nación.

Cap. Luna Uitz: No hay manera de que se vayan de este lugar, ni ustedes ni sus amigos.

Pensé que era el fin de nuestra aventura para todos, pensé que para ese momento tendrían retenidos a Scot, Sandra y sus papás, y apenas le comenzaba a dar explicaciones cuando nos dijo:

—No saldrán, si yo no estoy en ese avión con ustedes.

Con duda, Gamaliel y yo nos miramos, así que Gamaliel le preguntó:

—¿Cuál es el plan?

Cap. Luna Uitz: Un avión sale en 48 horas con armamento y vehículos para la guerra contra los árabes.

Osmar: ¿Guerra? Eso ya terminó, ¿o no?

Cap. Luna Uitz: No, señor, la guerra acaba de iniciar contra mis hermanos, resulta que El Orden Mundial es antisemita, atacarán a todo el islam y el judaísmo.

Miré la cara de dolor, ira y decepción en Gamaliel, pero aprisionó sus emociones y apenas brotaron unas lágrimas y soltó su cuerpo en aquella silla. Me miró y dijo:

—Creo que es el momento de decir adiós, querido Osmar.

Yo sólo lo escuché, pues nada de lo que yo dijera en ese momento lo haría cambiar de opinión, me dolió ver a mi amigo así. Pero la decisión ya estaba tomada.

Cap. Luna Uitz: Necesitamos mucha gente, por qué no les dices a tus amigos que vengan con nosotros, todos serán útiles en esta situación.

Osmar: No puedo dejar a Scot, le prometí al igual que tú ir a Puerto Rico a buscar su familia.

La Piloto Luna miró fijamente a Gamaliel, desenfundó su arma, y dijo:

—Sabes que no puedo dejar a tu amigo vivo después de lo que acabo de decir.

Gamaliel: Él no es así, Piloto, le ruego no le haga nada, pues no hay nada que temer, he tenido suficiente tiempo con él para empeñar mi vida diciendo que Osmar es un hombre de honor.

Cap. Luna Uitz: Gamaliel, usted sabe que no debemos confiar en nadie.

Gamaliel: Osmar es mi hermano y en él puedo confiar.

La Cap. Luna Uitz se dio la vuelta y dijo:

—Tienen cuarenta y ocho horas para hacer lo que necesitan, es el tiempo que les puedo comprar, pero no puedo dejar a ninguno de ustedes aquí, es peligroso para todos. Voy a necesitar su ayuda, y su nave ya tiene combustible suficiente para ir a Puerto Rico. Autorizaré el despegue.

Gamaliel levantó su mirada y la vio a los ojos, para escuchar decir:

—No me deje en este horrible lugar.

Gamaliel respondió:

—Sabe usted que no lo haré.

De inmediato salimos de ahí para el avión. Al subir, ya nos esperaban nuestros amigos, vigilados por ocho soldados. Subimos y cerraron la puerta. Sólo alcanzamos a escuchar, buen viaje; salimos del hangar y apenas despegamos comenzaron las preguntas.

Scot: ¿Qué pasó allá?

Osmar: Conocimos a una persona que nos ayudó a ir de inmediato a Puerto Rico por tu familia.

Scot: What?

Osmar: Pero tenemos 48 horas para encontrarlos, pues empeñamos nuestra palabra y Gamaliel hizo una promesa.

Scot: *But, Why? We have a plan already.*(Pero, ¿por qué? Ya tenemos un plan).

Osmar: *Yes, but this place is dangerous now.* (Si, pero este lugar es peligroso ahora).

Scot estaba nervioso y confundido, comenzó a temblar su pierna derecha. Al ser un vuelo sin escalas no tardaríamos mucho en llegar, así que comenzamos a planear nuestras próximas veinticuatro horas que serían de búsqueda total. Scot nos dijo los nombres de su madre y su hermano, pues no tenía fotos ni nada con qué reconocerlos. Planeamos ir a los hospitales cercanos, Scot se encargaría de la embajada, y Sandra con sus padres protegerían el avión hasta salir.

Llegamos alrededor de las cuatro de la madrugada. Cuando estábamos por aterrizar informamos a todos de lo que la Capitán Luna nos dijo a Gamaliel y a mí, con el fin de darles el tiempo suficiente para pensar lo que harían. Scot tenía que pensar en buscar a su hermano y madre, y en caso de hallar a sus familiares, entre ellos tendrían que decidir si se quedaban o irían con nosotros. Apenas llegamos al espacio asignado del avión, salimos de las escaleras para que los agentes de migración nos pararan en seco; cuando pasamos el procedimiento no importó la hora, llegamos a tocar puertas en todos los hospitales, visité siete hospitales y algunos lugares concurridos por los ciudadanos americanos en un lugar llamado "Aguadillo", sin éxito. Nuestra hora para saber nuestra situación era a las once de la mañana en el avión; llegué primero y después Gamaliel. Esperamos cuarenta minutos para volver a salir, pues no sabíamos nada de Scot.

La siguiente hora para conocer nuestra situación sería a las tres de la tarde; me dediqué a preguntar en las calles por lugares donde podría encontrar a la familia de Scot, pero buscar dos personas entre setenta mil refugiados americanos sería difícil y nuestro campo de búsqueda se amplió, muchos continuaron su viaje a Australia, Inglaterra y Suramérica.

Cuando llegué al avión de nuevo, Scot ya estaba ahí con otra persona. Pensé que sería su hermano, pero al ver sus lágrimas, las noticias a recibir serían malas.

Osmar: *What happened Scot?* (¿Que pasó Scot?)

Scot: *I found my mom, she died three weeks ago, my brother is lost in this place, this guy is from my neighborhood, he escaped with my family, but lost contact with my brother.* (Encontré a mi madre, ella murió hace tres semanas, mi hermano está perdido en este lugar, este chico es de mi vecindario, escapó con mi familia, pero perdió el contacto con mi hermano).

Osmar: *Wait for Gamalief orOwill be back at 9 pm.* (Espera a Gamaliel, volveré a las 9 pm).

Continúe la búsqueda, mi desesperación era mayor, gritaba por todas las calles ¡Michael O'Brill! El tiempo se agotaba y no quería dejar a Scot atrás.

Un par de personas me dijeron que lo conocía, que lo podría encontrar en el Malecón de Mayagüez, pues pescaba ahí. Tomé un taxi para llegar, pues estaba a unos treinta minutos de mi posición, la noche me alcanzó y tomé el tiempo: "siete y media", mi plan sólo era gritar una hora su nombre hasta encontrarlo, pues el lugar era inmenso. Un tipo me gritó.

Pescador: Hey, ¿quién lo busca?

Osmar: Soy amigo de su hermano Scot, ¿lo conoces?

Pescador: Hace unos minutos se fue con otro tipo, que al igual que tú, lo buscaba.

Osmar: Gracias.

Salí de nuevo a la calle y pedí aventón para llegar a la hora acordada con los demás, ya que el servicio de autobuses y taxis terminaba temprano, esperaba que alguien le informara que su hermano lo buscaba. Al llegar vi el mismo escenario en el avión, Gamaliel me alcanzó en el camino y me dijo: no

—No lo pude hallar ¿y tú?

Osmar: Pensé que vendría contigo. Llegué al Malecón, a unos cuarenta minutos de aquí, y me dijeron que se fue con alguien que lo buscaba.

Gamaliel: Ése no fui yo.

Osmar: Antes de que nos vea Scot, regresemos y probemos suerte.

Al mirar atrás, una figura como la de Scot nos seguía. Cuando se nos acercó el parecido con Scot era increíble y de inmediato pregunté:

—*What is your Name?* (¿Cual es tu nombre?) —al oír su respuesta, después de todo lo que hicimos por encontrarlo, fue como escuchar a Queen cantar *We are the champions.*

—Michael O'Brill.

La sonrisa y lágrimas me brotaron, estaba tan cansado que el haber logrado encontrar en toda una isla a una persona me llenó el alma. Después de esto sólo quería subir al avión y dormir el resto del viaje. No sentía las piernas cuando llegamos donde Scot. Éste lo vio y lo abrazó; no cruzaron palabra, pues los apresuramos a subir al avión.

Regresamos al mediodía a Cancún, faltando muy pocas horas de salir con la Piloto Luna. La situación con la seguridad fue exactamente la misma y el mismo procedimiento, pero al llegar donde nos encontraríamos de nuevo con la Piloto Luna, ahora una mujer diferente nos atendió. Después de una hora de interrogatorio nos dejó ir, pues entre los documentos que presentó la Piloto Luna, estaba la de dejarnos ir, pues trabajábamos en secreto. Nos reunimos con Scot y su hermano apenas saliendo del pasillo largo que lleva a los hangares, parecían esperarnos precisamente a nosotros.

Scot: Amigos, les debo todo, siempre me apoyaron y cuidaron de mí. Mi hermano y yo hemos tomado la decisión de ir a Sudamérica. La guerra de Gamaliel no es nuestra y quiero aprovechar lo que queda de la vida para estar con mi hermano.

Osmar: Te va muy bien con el español, amigo. Te deseo lo mejor, pero no lo olviden, nos gustaría que estuvieran allá con nosotros.

Scot: *Yes, I'm glad to hear it. Maybe soon.* (Sí, me alegra oírlo. Tal vez pronto).

Mientras nos decía esto soltó un par de lágrimas, Gamaliel no necesitó decir nada, sólo lo abrazo como si fuera su propio hijo, y de la misma forma a Michael.

Osmar: Nos vemos, amigo.

Scot: Si no en esta vida, en la otra.

Vi a Scot alejarse abrazando a su hermano y me sentí muy feliz por él, después de todo lo que habíamos pasado, encontrar la aguja en el pajar era el mayor y más valioso regalo de este mundo.

Buscamos a los demás y encontramos sólo a la piloto Luna con cara de preocupación.

Cap. Luna Uitz: Sus amigos están bajo la custodia de una nueva encargada de la seguridad. Se encuentran en el hangar del jet que usaron para salir de México. Vayan por ellos, el avión que usaremos ahora es un Boeing 747 que está en la pista auxiliar uno, y sólo tienen cuarenta minutos para estar ahí.

Salimos con un último esfuerzo por Sandra y sus padres. Al llegar al hangar miré a todos y una cara me era familiar: la de Sandy. Mi ex-compañera de trabajo estaba a cargo de los dos soldados con los que estaba, pero su forma de ser y sus ojos no eran los coquetos que me miraban en Xalapa… Algo cambió, una mirada tierna e inocente fueron desbancados por un par de ojos entrecerrados, rojos y con un brillo de coraje. Pretendí que nada había pasado

Sandy: Maestro Osmar, es un gusto encontrarlo en ese mundo de cabeza, ¿ahora se llama Juan?

Hablaba mientras miraba unas hojas llenas de celdas con datos.

Osmar: Qué tal, Sandy, veo que este mundo te cambió, tu timidez y miedo se fueron, ahora mírate, toda una líder.

Sandy: Claro, Maestro, gracias a usted y sus palabras que me ayudaron todo este tiempo. Ahora volvamos a lo importante, ¿quiénes son ellos y qué hacen con usted?

Osmar: Son mi familia.

Sandy: Se volvió a casar, Maestro… Uhm… Qué suerte tienes, mujer, el maestro es un hombre de los de antes.

Sandra: No tenemos nada que ver, sólo somos amigos.

Sandy: Osmar, tú dices que son tu familia, ella te niega y yo conozco a su verdadera familia.

El sudor frío en mi nuca y los escalofríos me confirman que algo no anda bien. En este momento, ella no es honesta conmigo, parece querer hacernos daño, así que me expliqué:

—A lo que me refiero es que les debo la vida, y ahora los cuido como mis padres y hermana.

Sandy: Tú dices una cosa, ellos otra, algo no cuadra aquí. Aparte de que sus identificadores no corresponden con su persona. Eso es un delito grave, Maestro.

El rostro de Sandy ya no era el mismo, parecía estar poseída por sus deseos y aspiraciones, pues teniendo autoridad, la autoridad se convierte en poder y el poder corrompe. Ésa ya no era la Sandy que conocí, su mirada era la de un tirano neófito.

Sandy: Maten a los viejos y lleven a los demás a prisión.

De inmediato me acerqué a Sandy y la tomé por el brazo. Me miró por encima del hombro y se sonrió con burla, no me permitió hablar al interrumpirme de una manera altanera y burlona, diciendo:

—No me vuelva a tocar, Maestro, o tendrá la misma suerte que sus papás falsos.

La situación se tornó tensa y usé la única carta que me quedó: tomé el arma corta de la guarda de Sandy, mientras me daba la espalda, haciéndola mi rehén. Amenacé con disparar, pues ¡yo sólo quería que dejaran ir a mis amigos! De inmediato, los soldados se acercaron a rodearme para salvar a Sandy, perdiendo la atención en mis amigos mientras ellos aprovechaban el momento para escapar. Pero miré en Gamaliel un síntoma de inconformidad, algo tramaba... Rodeé con mi brazo izquierdo el cuello de Sandy, mientras apuntaba en su sien sin dañarla, pensé que cambiaría de opinión. La llevé hacia dentro del hangar, y los soldados dieron la espalda a la entrada.

De repente, Gamaliel entró a aquel hangar, pero Sandy de inmediato informó a los soldados, quienes dispararon contra él. Gamaliel se refugió entre un montón de cajas de carga que estaban cerca. Uno de los soldados flanqueó la derecha de Gamaliel, no había escapatoria, uno muy cerca me tenía en la mira, di un par de pasos adelante, empujé a Sandy contra él y disparé contra el que emboscaba a Gamaliel. Logré atinarle, pero al primer disparo otras dos balas de los disparos en mi contra me impactaron en el hombro izquierdo, y otra rozó mi pierna, provenientes del arma que usó Sandy desde el suelo. Me tiré al suelo por el dolor en mi hombro, y mientras ella se ponía de pie con el soldado que había caído, yo me escondí pero la sangre que dejé en mi camino me delataba.

Sandy: El destino es incierto y el mundo pequeño, Maestro Osmar, pero hoy será la última vez que me verá a los ojos.

Estaba contra un estante, cuando me halló miré sus ojos llenos de rabia; dicen que: "cuando salvas a alguien te salvas a ti mismo", pero no sabía entonces por qué estaba en esta situación.

Me miró y sin decir nada me apuntó, sus ojos estaban entre el cañón del arma, las uñas de su mano izquierda recién pintadas de color oro, divididas en tres dedos empuñando al arma, el mayor y el índice sobre el gatillo. Pensé, en el siguiente segundo dejaré de existir. Cuando estás frente a tu destino inmediato, cada latido y respiración se hacen presentes, lo puedes sentir todo, el polvo y piedritas en el suelo, el olor a madera, humo, pólvora y gasolina del hangar, la luz del sol y el movimiento del cabello producidas por el aire y el calor de la sangre escurrir por el hombro y pierna, los dedos de los pies moverse dentro de los zapatos y los detalles de uso del cañón del arma. Escuché el disparo, pero sólo me dolió el corazón, sentí como si mi cuerpo se soltara de toda la presión de ese momento y me recosté sobre mi hombro derecho. Entré poco a poco a la oscuridad de mis ojos cerrados, dejé de sentir dolor y angustia, todos los problemas terminaron para mí, lo que quedaba de mis deseos y anhelos desaparecieron junto con todo lo demás al cerrar mis ojos.

RESURRECCIÓN

Mi razón no ha terminado, esto no es muy diferente de un sueño, puedo ver destellos de luz y colores como una aurora boreal con la variación del arco iris, caían sobre mi conciencia como lluvia, lo demás era obscuro y algunos momentos rojizo, escucho algunos sonidos, parecen ser conocidos, parecen voces, pero muy lejanas e incomprensibles, lo único que no cambia en mi ser, es este sentimiento de caer sin llegar al fondo.

Parece que aún tengo conciencia del tiempo, pues creo saber cuándo es la noche y el día, y por un tiempo siento el frío, la humedad y, en ocasiones, el calor que proviene del clima o de la tierra, pues no sé dónde estoy. Recuerdo aquel sueño, cuando caía, tal vez era la realidad y lo demás una fantasía, pero ¿qué es real, quién es real? Mis sueños en "esto" son más reales que lo que creí vivir. Y si "esto" no es real, estos destellos de luz, esta sensación de caer, son parte de lo que queda de mí, o sólo lo que queda de energía en mi cerebro, pero me punzan los oídos como cuando late un corazón, siento ese impulso en mi pecho y cómo el calor vuelve a mi mejillas, por momentos, parece que siento el pulso de mis venas, en todo el cuerpo.

¡Sé que estoy vivo!, pues ahora siento miedo y dolor.

10 cuando abres lo ojos y no estás donde los cerraste.

Abrí lentamente mis ojos y miré la gran sonrisa de Scot, parecía estar en un avión, la luz pasaba a nuestra derecha reflejándose en las paredes del metal. Sólo podía mover los ojos, tenía ataduras en todo el cuerpo, las podía sentir, no podía hacer ningún movimiento, cerré los ojos de nuevo. Ahora estaba Sandra, me miraba con preocupación pero estaba atendiendo mis heridas, sentía una toalla áspera pasar por mi pierna, me dolió pero mis ojos se cerraron de nuevo.

Desperté unos días después, estaba libre de mis ataduras pero el dolor en mi cabeza era intenso, mi saliva y mi respiración tenían ese olor a sangre, mis oídos dolían y zumbaban, mis ojos me dolían por dentro, todo mi rostro parecía estar inflado con helio, cada latido de mi corazón era una prensa apretando mi cerebro; intenté levantar la pierna que estaba herida, pero me desmayé.

Me despertó la luz de la luna llena, tenía sabor a suero en mi boca y alimento para bebé, pero el hambre era un ardor intenso en mi estómago; eso fue lo que me levantó, el hambre; miré mis brazos y piernas, parecía haber perdido mucho peso, sentía la sensación de haber corrido por un largo tiempo sin descanso, mis músculos estaban abrumados y el resto de mi cuerpo, pero mi mente esta lista para preguntar muchas cosas. Hice un chequeo general de mi cuerpo, giré mi cabeza a la izquierda y derecha, sentía mi cerebro como si estuviera en agua y sentí mareo como cuando te duele la cabeza después de pasar por la fiebre. Pronto me acostumbré al dolor, levanté mi brazo izquierdo, giré mi mano y activé mis dedos; continué con el derecho, que lucía mejor y su movimiento no me causaba molestias. Doblé mi rodilla izquierda y activé los dedos de mi pie y repetí con el otro; giré lentamente mi hombro como si deseara levantarme, para confirmar que funcionara mi espalda, y lo hice de nuevo con el otro, no quise apresurarme y me giré completo a la izquierda y después a la derecha, después de un momento estaba boca abajo, pero mi frente me dolía y ese dolor que sentía quemar arriba de mi ojo izquierdo. Me puse sobre mis manos y rodillas, así pude bajar mi pie para intentar sentarme, aún soportaba el dolor en mi frente, estaba desnudo pero en la noche nadie lo notaria, ¡sólo lo notaron todos mis amigos y unos rostros que no conocía que miraron el ritual que hice para levantarme! Todos me vieron pero no tenía tiempo de pedirles perdón, lo único que pude decir es:

—¿Me dan algo de comer?

Todos se rieron de saber que estaba bien, de mi ritual de ermitaño desnudo para levantarme y de mis palabras, mis amigos no eran discretos, pues ahora estaba con ellos la Piloto Luna, una pareja de ancianos —al parecer los dueños de la casa—, y un joven de unos catorce años. Todos en la misma habitación y yo como modelo desnudo para que ellos pintaran una horrible pesadilla en sus mentes. Sandra se acercó con un poco de pan sin levadura y vino, recomendado por la señora, para que entrara en calor.

Después de un poco de vino, que no era fuerte, pues parecía medicinal, comí manzana y pan; esperé veinte minutos dormitando para poder recostarme, no quería que el alimento me ahogara, mi estómago tardó en asentarse con lo que comí. Cerré mis ojos y no los abrí hasta un par de días después.

Desperté de nuevo, ya no era el mismo, perdí al menos 18 kilos, mi barba era de leñador y mis ojos hundidos y mi ojo izquierdo cerrado al parecer por el parche sobre mi ceja. Al ponerme sobre mis pies, sólo estaban los ancianos. Y el niño que me trataba de ayudar, parecía hiperactivo, pues sentía que me quería llevar a la mesa a la velocidad de la luz. Me tomé una pequeña silla y me atendieron con pan y leche, todos los sabores eran nuevos para mí, sabía que estaba muy lejos de casa, la lengua, la tierra y el aire son diferentes.

Después de comer me llevaron a un estanque pequeño. Todo era árido y frío, me pusieron al sol para calentarme, no era muy intenso pues parecía ser el atardecer, por ese crepúsculo rojizo intenso. Estaba al lado de un olivo y volteé cuando la puerta que daba acceso al patio donde estaba se abría, y uno por uno mis amigos entraron, Gamaliel con Luna, Scot con su hermano, y Sandra con el niño, pero no estaban sus padres. Me brotaron las lágrimas por estar con mis amigos, por todo este tiempo que me cuidaron y por los que seguramente dieron su vida para que nosotros estuviéramos aquí.

Gamaliel: ¿Cómo estás, hermano?

Osmar: Mejor, creo yo.

Miré a Sandra y le pregunté por sus padres. Ella se limitó a decir: no

—Están en un lugar mejor, Osmar.

Con pena y arrepentimiento la miré y dije:

—Creo lo mismo que tú, ahora descansan.

Sandra: Sí.

Como siempre, mi plática fue incómoda, creo que en esto de las relaciones humanas no soy muy bueno. Me llevaron adentro e hicieron un festín por mí, había algo que celebrar. Después de comer me acerqué a la Piloto Luna y le pedí que por favor me pusiera al tanto de cómo fue que sobreviví y por qué Scot estaba aquí.

Luna: Es una larga historia, Osmar, pero creo que no irás a ningún lado, pues todo comenzó en ese hangar. Llegaron algunos soldados al oír las detonaciones, pero al ver que tenían bajo control todo, se alejaron, Gamaliel se levantó y dice que cuando perdiste el conocimiento por la pérdida de sangre, bajaste lo suficiente la cabeza para que la bala que disparó la soldado Sandy te rebotara en el cráneo, porque al momento de que la bala te golpeó la cabeza rebotó como pelota en el estante metálico detrás de ti; todo fue por fortuna de esa manera, Gamaliel tomó el arma del soldado al que disparaste y atacó al guardia y Sandy, que cayó en tu pecho cuando murió. A Gamaliel no le importó tu situación y te trajo cargando, con Scot que lo encontró en el camino hacia el avión, y Michael también ayudó, parecía que solo tomarían una soda en el restaurant del aeropuerto y así fue como se los topó. Scot no dudó en ayudarte y ahora están todos aquí, Sandra pudo escapar, porque sus papás enfrentaron a los guardias que los habían detenido y encaminado a las celdas.

Tu herida fue grave, pensamos que no lo lograrías, sólo te atendimos después de amotinarnos en el avión, te querían lanzar por la rampa, sabes lo que el Orden Mundial hace con los heridos. Cuando miramos la oportunidad comenzamos, peleamos con todo, uno de los pilotos abandonó su puesto y amenazamos con explotar el avión si el capitán no salía de la cabina, le ofrecimos la oportunidad de un paracaídas oferta que no pudo negar, pilotamos el avión hacia aquí, y fue cuando te mantuvimos en el hospita. Ahora estamos en casa de mis padres, pues solo debías recuperarte y lo más importante despertar.

Bienvenido a Damasco.

Made in United States
Orlando, FL
24 December 2023

40777544R00054